中華國學經典百部

精華本

增广贤文

［清］周希陶 著

焦亮 译注

中国书店

图书在版编目（CIP）数据

增广贤文 /（清）周希陶著；焦亮译注 .—北京：中国书店，2023.10
（中华国学经典百部：精华本）
ISBN 978-7-5149-2963-8

Ⅰ . ①增… Ⅱ . ①周… ②焦… Ⅲ . ①古汉语－启蒙读物 Ⅳ . ① H194.1

中国版本图书馆 CIP 数据核字（2022）第 075961 号

增广贤文

〔清〕周希陶 著　焦亮 译注

责任编辑：卢玉珊

出版发行：中国书店
地　　址：北京市西城区琉璃厂东街 115 号
邮　　编：100050
电　　话：（010）63171753（总编室）
　　　　　（010）63017857（发行部）
印　　刷：三河市嘉科万达彩色印刷有限公司
开　　本：787mm × 1092mm　1/32
版　　次：2023 年 10 月第 1 版第 1 次印刷
字　　数：84 千
印　　张：6（全 300）
书　　号：ISBN 978-7-5149-2963-8
定　　价：1490.00 元（全 50 册）

前言

《增广贤文》最早见于明代万历年间。这部数千字的妙文，内容绝大多数都来源于经史子集、诗词曲赋、格言、谚语、戏剧小说及文人杂记等。全书或上下联对，或成段押韵，三言、四言、五言、六言、七言交错而出，灵活多变，突破了传统蒙学读物一种句式贯穿始终的基本格式，读来抑扬顿挫，朗朗上口。可以说，这是本书能得以深入民间的原因之一。

当然，《增广贤文》最能征服人心的还是它的内容。书中围绕人际关系、处世、命运、对读书的看法等内容，讲述了为人处事、待人接物、治学修德等方面的道理，既通俗易懂又意蕴无穷。

其中，书里很多含有深刻哲理的格言警句千百年来一直为人们所传诵，蕴含着前人无尽的智慧。例如，文中告诉我们要珍惜时间："光阴似箭，日月如梭。"告诫我们从小应努力学习，以免将来后悔莫及："少壮不努力，老大徒伤悲。"强调了自我保护的重要性："守口如瓶，防意如城。"人生在世，要小心谨慎："念念有如临敌日，心心常似过桥时。"忍让是消除祸患烦恼的重要方法："饶人不是痴汉，痴汉不会饶人。”“忍得一时之气，免得百日之忧。”“得忍且忍，得耐且耐；不忍不耐，小事成大。”对他人之事应尽量少管，以免给自己添麻烦：“是非只为多开口，烦恼皆因强出头。”“见事莫说，问事不知。闲事莫管，无事早归。”交友应慎重，要对自己有帮助：“酒逢知己饮，诗向会人吟。”“结交须胜己，似我不如无。”“知音说与知音听，不是知音莫与谈。”评判朋友的原则是：“路遥知马力，事久见人心。”“道吾好者是吾贼，道吾恶者是吾师。”“良药苦口利于病，忠言逆耳利于行。”

可以说，这些我们耳熟能详的精辟语句绝非单纯的教化，也不是凭空而谈、信口雌黄，而是对前人处世智慧、原则和经验的高度总结。可见，《增广贤文》的哲学，其实是一种“独善其身”的哲学——它时刻提醒着我们要努力上进，要善待父母妻儿、邻里朋友，要多行善、少作恶。

自古以来，《增广贤文》对普及文化知识、创造精神文明、治世育人都起过不可低估的积极影响和作用，也因此被人们奉为“做人的准则，处世的法宝，交际的妙术，治家的秘诀”。时至今日，本书对人们仍然有很大的借鉴和参考价值，这也正是其生命力所在。

“昔时贤文，诲汝谆谆。”《增广贤文》就是这样一本从人性出发，对人进行训蒙且导人向善的书，值得我们去珍惜，去细细品读，去慢慢体会其中所蕴含的深刻的道理。

目 录

一

昔时[1]贤文[2]，诲[3]汝[4]谆谆[5]。集韵[6]增广[7]，多见多闻。观今宜[8]鉴[9]古，无古不成今。

【注释】

①昔时：从前，往日。

②贤文：精辟优美的文字。

③诲：劝导，教导。

④汝：你。多用于称同辈或后辈。

⑤谆谆：形容恳切而不厌倦的样子。

⑥集韵：把有韵律的文句汇集起来。

⑦增广：增加，扩大。此指《增广贤文》一书。

⑧宜：应该。

⑨鉴：借鉴。

【译文】

用以前精辟优美的文字，来恳切地教导你。广泛搜集押韵的文句，汇编成《增广贤文》，来增加人们的见闻。应该借鉴古时的经验教训，来指导今天的行为，因为没有古时就不会有今天。

二

知己知彼[①]，将心比心[②]。酒逢知己[③]饮，诗向会人[④]吟[⑤]。相识满天下，知心[⑥]能几人。相逢好似初相识，到老终无怨恨心。

【注释】

①知己知彼：语出《孙子兵法·谋攻》："知彼知己者，百战不殆。"原意是如果对敌我双方的情况都能了解透彻，打起仗来就可以立于不败之地。泛指对双方情况都非常了解。彼，对方。

②将心比心：拿自己的心去衡量别人的心，指遇事设身处地地为别人着想。将，拿。

③知己：彼此相互了解而关系密切的人。

④会人：能领会其中意思的人。会，理解、领悟。

⑤吟：有节奏地念。

⑥知心：彼此非常了解而关系密切。

【译文】

知道自己怎么想，也应知道对方怎么想，所以要用自己的心去体谅对方的心，设身处地为别人着想。酒要和知心朋友一起喝，诗要向懂得其中意思的人吟诵。世上有很多你认识的人，但真正称得上知心朋友的却没有几个。与人交往时，每次遇到都应如同初次见面一样，这样即使到老也不会产生怨恨之心。

三

近水知鱼性，近山识鸟音。易涨易退山溪水，易反易覆[1]小人[2]心。运[3]去金成铁，时[4]来铁似金。读书须用意[5]，一字值千金[6]。

【注释】

①易反易覆：形容容易变化无常。

②小人：指人格卑下的人。

③运：幸运，运气。

④时：时机，指有时间性的有利条件。

⑤用意：专心，用心。

⑥一字值千金：始见于《史记·吕不韦列传》：“布咸阳市门，悬千金其上，延诸侯游士宾客有能增损一字者予千金。”意为称赞文辞精妙，不可更改。

【译文】

在水边才能掌握各种鱼儿的习性，在山旁才能识别不同鸟儿的叫声。容易上涨也容易退去的是山间的溪水，反复无常的是小人的心。运气离你远去的时候金子也会变成铁，时来运转的时候铁也会变成金子。读书时一定要用心，因为书里的每个字都价值千金。

四

逢人且[1]说三分[2]话，未可全抛[3]一片心。有意栽花花不发[4]，无心插柳柳成荫[5]。画虎画皮难画骨，知人知面不知心[6]。钱财如粪土，仁义[7]值千金。

【注释】

①且：应当，宜。

②三分：指十分之三。

③抛：暴露，显露。

④发：开花。

⑤荫：树荫，树木遮住日光所形成的阴影。

⑥画虎画皮难画骨，知人知面不知心：画虎时容易画出其外在的毛皮，但难画出其内在的骨头；与人交往时容易看清长相，却很难了解他的内心。

⑦仁义：仁爱与正义。

【译文】

与人说话时应该只说三分，不要把自己内心的想法全都说给别人听。用心种花，花却不开放；无意插下的柳枝，却长得茂盛、绿树成荫。画虎时容易画出其外在的毛皮，但难画出其内在的骨头；与人交往时容易看清长相，却很难了解他的内心。要把钱财看作粪土一样不足珍惜，而仁爱与正义才价值千金。

五

流水下滩[1]非有意，白云出岫[2]本无心。当时若不登高望，谁信东流[3]海样深。路遥[4]知马力[5]，事久见人心。两人一般[6]心，有钱堪[7]买金；一人一般心，无钱堪买针。相见易得好，久住[8]难为人。马行无力皆因瘦，人不风流[9]只为贫。

【注释】

①滩：江河中水浅石多而水流很急的地方。

②岫（xiù）：指山洞。

③东流：向东奔流的江河。

④遥：形容远。

⑤马力：即马的力量。

⑥一般：相同，一样。

⑦堪：可以，能够。

⑧久住：长期相处，在一起生活。

⑨风流：形容洒脱放逸，有才学却不拘礼法。

【译文】

流水从滩头泻下来并不是有意而为，白云从山洞间飘出来也是自然而然的。当时如果不登高远望，谁能相信向东奔流的江河会像大海那样深。路途遥远才能知道马的力气的大小，事情经历多了才会了解人心的好坏。两个人一条心，就能够挣到购买黄金的钱；一个人一个想法，会连买根针的钱都挣不到。刚相见的时候容易相处得好，在一起住的时间长了就难以相安无事。马奔跑时没有力气是由于它身体瘦弱，人活得不自在潇洒，是因为他过于穷困。

六

饶[1]人不是痴汉[2]，痴汉不会饶人。是亲不是亲[3]，非亲却是亲。美不美[4]，乡中水；亲不亲[5]，故乡人。莺花[6]犹[7]怕春光[8]老[9]，岂可教人枉[10]度春。相逢不饮空归去，洞口桃花也笑人。红粉佳人[11]休[12]使老，风流浪子[13]莫教贫。

【注释】

①饶：宽恕，宽容。

②痴汉：笨蛋，愚蠢的人。

③是亲不是亲：是自己的亲戚，但却不是与自己亲近的人。

④美不美：无论甜美或不甜美。

⑤亲不亲：无论亲近或不亲近。

⑥莺花：啼鸣的黄莺与盛开的鲜花，此借指春天美好的景色。

⑦犹：尚且，还。

⑧春光：指春天的景致。

⑨老：此指历时久。

⑩枉：白白地。

⑪红粉佳人：即美女。

⑫休：别，不要。

⑬浪子：游荡玩乐的年轻人。

【译文】

能宽恕别人的就不是愚蠢的人，因为愚蠢的人从来不会宽恕别人。有些人名义上是亲戚却不是与自己亲近的人，有些人虽然不是亲戚却比亲戚还亲近。不论甜美与否，家乡的水都是最好喝的；不论是不是亲戚，故乡的人都是最亲近的。连黄莺和鲜花都害怕春天逝去，怎么能让人虚度春光呢。朋友相聚却不饮酒而回去，连洞口的桃花也会嘲笑你不懂得人情。不要让美丽的女子变老，不要让风流潇洒的年轻人变得贫穷。

七

在家不会迎宾客，出外方①知少主人②。黄金无假，阿魏无真③。客来主不顾，应恐④是痴人⑤。贫居闹市无人识，富在深山有远亲⑥。

【注释】

①方：才。

②主人：指接待宾客的人，与“客人”相对。

③阿魏无真：阿魏，主产于伊朗、印度和阿富汗的多年生草本植物，开黄色小花。切断其根和根状茎，即有乳状汁流出，此汁干后称阿魏，可入药。由于比较珍贵，很少见到真品，因此说“阿魏无真”。

④应恐：大概，恐怕。

⑤痴人：此指愚蠢的人。

⑥远亲：血缘关系疏远的亲戚，或指住处相隔很远的亲戚。

【译文】

在家时不知道怎样迎接宾客，外出时才知道没有人愿意接待你。黄金没有假的，阿魏这种药材却几乎没有真货。客人来了，主人不去招待，他可能是个不明事理的傻瓜。贫穷时即使住在闹市也没人认识你，富贵时即使住在深山里也会有远房亲戚前来拜访。

八

谁人[1]背后无人说，哪个人前不说人。有钱道真语[2]，无钱语不真；不信但[3]看筵[4]中酒，杯杯先劝[5]有钱人。

【注释】

①谁人：哪一个人。

②真语：真实的话语。

③但：只。

④筵：即宴席，请客的酒席。

⑤劝：此指祝愿。

【译文】

有哪个人背后不被别人议论，又有哪个人在他人面前不议论别人。有钱人说的话总被认为是真话，没钱的人说的话总被认为是假话；你若不相信，只要到筵席上看看敬酒的情景，每一杯酒都是先祝福有钱的人。

九

闹里[1]有钱，静处安身[2]。来如风雨，去似微尘[3]。长江后浪推前浪，世上新人赶[4]旧人。近水楼台先得月[5]，向阳花木早逢春。

【注释】

①闹里：热闹繁华的地方。

②安身：在某地居住、生活。

③微尘：非常细小的尘埃。

④赶：追逐，追赶。

⑤得月：即看到水中的月亮。

【译文】

热闹繁华的地方有赚钱的机会，安宁幽静的地方适合居住生活。来时像暴风骤雨一样猛烈，去时像微尘飘落一样无形。长江的后浪推涌着前浪，世上的新人赶超着旧人。在靠近水的楼台上能先看到水中的月亮，面朝太阳的花木能更早地感受到春天的到来。

十

古人不见今时月，今月曾经照古人。先到为君[1]，后到为臣[2]。莫[3]道君[4]行早，更有早行人。莫信直中直[5]，须防仁不仁[6]。

【注释】

①君：君主，古代国家的统治者。

②臣：君主时代的官吏，有时也包括百姓。

③莫：别，不要。

④君：此指对他人的尊称。

⑤直中直：指只是表面上正直的所谓“正直的人”。

⑥仁不仁：指只是表面上仁义的所谓“仁义的人”。

【译文】

古代的人看不见今天的月亮，而今天的月亮却曾经照射过古代的人。先到的当君王，后到的只能向人称臣。不要说你走得早，还有比你走得更早的人。不要轻信那些所谓十分正直的人，要防备那些假仁假义的人。

十一

山中有直树，世上无直人[①]。自恨[②]枝无叶，莫[③]怨[④]太阳偏[⑤]。大家都是命[⑥]，半点不由[⑦]人。

【注释】

①直人：此指正直的人。

②恨：即遗憾。

③莫：不要。

④怨：埋怨。

⑤偏：偏袒，不公正。

⑥命：命运，迷信的人认为人一生注定的生死、贫富及一切遭遇。

⑦由：听任，听凭。

【译文】

山里有长得笔直的树，世上却没有绝对正直的人。树应该遗憾自己的枝上长不出叶子，不要去抱怨太阳不够公正。大家都受命运的支配，半点也由不得自己。

十二

一年之计[1]在于春，一日之计在于寅[2]，一家之计在于和[3]，一身之计在于勤。责[4]人之心责己，恕[5]己之心恕人。守口如瓶[6]，防意如城[7]。

【注释】

①计：打算，考虑。

②寅：用以计时，指凌晨三点至五点。

③和：谐调，融洽。

④责：期望，要求。

⑤恕：原谅，宽恕。

⑥守口如瓶：紧闭着嘴不说话，像瓶口塞紧了一般。形容说话谨慎，严守秘密。

⑦防意如城：严格遏止私心杂念，就像守城防敌一样。防意，坚守意志，不产生邪念。

【译文】

一年的计划应在春天就定好，一天的计划应在黎明时分就定好，一个家庭最关键的是和睦，一个人要发展关键在于勤奋。应当用要求别人的心来要求自己，用宽恕自己的心去宽恕别人。要像塞紧了瓶口的瓶子那样不轻易开口，要像守城防敌那样时时严格遏制自己的私心杂念。

十三

宁可人负①我，切莫②我负人。再三须重事③，第一莫欺心④。虎生⑤犹⑥可近⑦，人熟不堪⑧亲⑨。来说是非⑩者，便是是非人。

【注释】

①负：辜负，背弃。

②切莫：千万不要。

③重事：重大的事情。

④欺心：自己欺骗自己，昧心。

⑤生：不认识的，不熟悉的。

⑥犹：尚且，还。

⑦近：接近。

⑧堪：可以，能。

⑨亲：接近，亲近。

⑩是非：指因说话而引起的纠纷或误会。

【译文】

宁可让别人辜负我，绝不让自己辜负别人。遇到重大的事情要三思而后行，最重要的是不要自我欺骗。陌生的老虎尚可以靠近，太熟悉的人就不要亲近。前来说别人坏话的人，就是制造是非的小人。

十四

远水难救近火，远亲[1]不如近邻。有茶有酒多兄弟，急难[2]何曾[3]见一人。人情[4]似纸张张薄，世事如棋局局新。山中也有千年树，世上难逢百岁人。

【注释】

①远亲：此指住处相隔很远的亲戚。

②急难：危急的事，危难。

③何曾：反问的语气，表没有、未曾。

④人情：即人的感情。

【译文】

远处的水很难救得了近处的大火，住处相隔很远的亲戚不如近处的邻居。平常有茶有酒时身边的兄弟朋友很多，但在危难之时却没有一个朋友出来帮助。人的感情就好像纸张一样单薄，世上的事情就像下棋一样，每一局都是新的。山林中也有生长千年的古树，世上却难遇见活到百岁的老人。

十五

力微[①]休[②]负重[③]，言轻[④]莫[⑤]劝人。无钱休入众[⑥]，遭难[⑦]莫寻亲。平生[⑧]莫作皱眉事[⑨]，世上应无切齿[⑩]人。士[⑪]者国之宝，儒[⑫]为席[⑬]上珍[⑭]。

【注释】

①微：小。

②休：不要。

③负重：身背着重物。负，用背载物。

④言轻：指说出来的话没有分量。

⑤莫：不要。

⑥入众：和众人在一起。

⑦遭难：遭遇困难或灾难。

⑧平生：一生，终身。

⑨皱眉事：让人不高兴或忧虑的事情。

⑩切齿：咬紧牙齿，表示极端愤怒。

⑪士：读书人。

⑫儒：即儒生，指遵从儒家学说的读书人。

⑬席：座席。

⑭珍：珍宝。

【译文】

力气单薄就不要去背负重物，说话没有分量就不要去规劝别人。没有钱就不要与众人在一起，遭遇灾难时千万别去向亲戚求助。一辈子不做让人不高兴或忧虑的事情，世上就应该不会有痛恨自己的人了。读书人是国家的宝贵财富，儒生是座席上的珍宝。

十六

若要断酒法[1]，醒眼[2]看醉人。求人须求大丈夫[3]，济[4]人须济急时无[5]。渴时一滴[6]如甘露[7]，醉后添杯[8]不如无。久住令人贱[9]，频来亲也疏。

【注释】

①断酒法：指戒酒的方法。

②醒眼：此指清醒的眼光。

③大丈夫：有节操、有志气、有作为的男子。

④济：帮助。

⑤急时无：急需的时候所缺乏的。

⑥一滴：指一滴水。

⑦甘露：甜美的露水。

⑧添杯：往酒杯里添酒。

⑨贱：憎恶，嫌恶。

【译文】

如果想得到戒酒的方法，只需用清醒的眼光看看喝醉的人。请求人帮助就要去求真正的男子汉，帮助别人就要帮那些急需帮助的人。口渴的时候喝一滴水也如同甘露一般甜美无比，喝醉酒后再往杯里添酒还不如不添。在别人家住太久会让人嫌弃，来的次数太多即使再亲近的关系也会变得疏远。

十七

酒中不语[1]真君子[2]，财上分明[3]大丈夫。出家[4]如初，成佛[5]有余。积金千两，不如明解[6]经书[7]。养子不教如养驴，养女不教如养猪。

【注释】

①酒中不语：指喝酒的时候不胡言乱语。

②君子：指人格高尚的人。

③分明：光明磊落。

④出家：指离开家庭生活，到庙宇里去做僧尼或者道士。

⑤佛：佛教徒称修行圆满之人。

⑥明解：明了，熟悉。

⑦经书：指“四书”“五经”等儒家经传。

【译文】

喝酒的时候不胡言乱语的人才是真正的君子，在钱财上光明磊落的人才是真正的男子汉。出家人始终保持刚出家时的虔诚之心，就一定能够成佛。积蓄千两黄金，还不如弄通儒家的经传。养儿子不教育就像养驴一样，养女儿不教育就像养猪一样。

十八

有田不耕仓廪[1]虚，有书不读子孙愚。仓廪虚兮[2]岁月[3]乏[4]，子孙愚兮礼义[5]疏[6]。同君[7]一席话，胜读十年书。人不通[8]古今，马牛而襟裾[9]。

【注释】

①仓廪：储藏谷米的仓库。

②兮：文言助词，相当于现在的“啊”或“呀”。

③岁月：即年月，泛指时间。

④乏：缺少。

⑤礼义：礼法道义。礼，谓人所履；义，谓事之宜。

⑥疏：漠视，冷淡。

⑦君：对他人的尊称。

⑧通：了解，懂得。

⑨马牛而襟裾（jīn jū）：马牛穿上人的衣服。语出韩愈《符读书城南》诗：“人不通古今，马牛而襟裾。”原指人不学无术，不懂得礼义廉耻。后比喻人徒有外表而行为卑劣，没有人性。襟裾，衣的前襟或后襟，亦借指衣裳。

【译文】

有了田地不去耕种，粮仓就会空虚；有了书籍不去阅读，子孙就会愚笨。粮仓空虚，生活就没有保障；子孙愚笨，就会不重视礼法道义。与君谈一个晚上的话，收益胜过读十年的书。一个人不能博古通今，就如同马牛穿上人的衣服一样。

十九

茫茫[1]四海[2]人无数，哪个男儿是丈夫[3]。白酒酿成缘[4]好客，黄金散尽[5]为收书[6]。救人一命，胜造七级浮屠[7]。城门失火，殃及[8]池[9]鱼。

【注释】

①茫茫：形容无边无际，看不清楚。

②四海：指全国各地，也可指世界各地。

③丈夫：即大丈夫，有所作为的人。

④缘：因为。

⑤散尽：花光。

⑥收书：收购书籍。

⑦浮屠：佛塔。

⑧殃及：连累。

⑨池：护城河。

【译文】

茫茫四海中人不计其数，又有哪个男人才称得上是真正的男子汉。酿造美酒是因为喜欢与客人相聚，花光金钱是为了收购书籍。救人一命，胜过修建七层佛塔。城门口着了火，护城河中的鱼也会跟着遭殃。

二十

庭前生瑞草，好事不如无[①]。欲求生[②]富贵，须下死工夫[③]。百年成之不足[④]，一旦[⑤]坏之有余[⑥]。人心似铁，官法[⑦]如炉[⑧]。善化[⑨]不足，恶化[⑩]有余。

【注释】

①庭前生瑞草，好事不如无：古时人认为福为祸所依，祸为福所伏。庭前长出瑞草，虽是好事，但也可能带来灾难，所以说有好事还不如没有。庭前，院子、堂前地。瑞草，古人认为吉祥的草，如灵芝之类。

②生：活的。

③死工夫：苦功夫。

④成之不足：指不能把事情办好。不足，不够、不充足。

⑤一旦：即一天之间。指很短的时间。

⑥坏之有余：足能将事情办坏。

⑦官法：国家的法律、法规。

⑧炉：锅炉。这里用来比喻国家法律对人的教化和惩处。

⑨善化：善的影响。

⑩恶化：恶的影响。

【译文】

庭院里生长出吉祥的草，这样的好事还不如没有。

如果想在活着时得到荣华富贵，必须拼命付出努力。花费百年的功夫都不一定能办好的事情，想要将其毁坏却极为容易。如果把人心比作铁的话，国家的法律则像冶铁的熔炉。如果善对人的影响不够，则恶对人的影响就会变本加厉。

二十一

水太清则无鱼[①]，人太急则无智。知者[②]减半，省[③]者全无。在家[④]由[⑤]父，出嫁从夫。痴人[⑥]畏妇，贤女敬夫。

【注释】

①水太清则无鱼：水过于清澈就不会有鱼。

②知者：指聪明的人。知，通“智”。

③省（shěng）：灾难，过失。

④在家：此指女子未婚。

⑤由：听从，听凭。

⑥痴人：指愚笨的人。

【译文】

水过于清澈就不会有鱼，人过于着急就会缺乏智慧。聪明人若减少一半的明察和急躁，那么就不会有灾祸。女子未婚时要听从父亲，出嫁后要服从丈夫。愚笨的人惧怕妻子，贤惠的女人敬重丈夫。

二十二

是非终日[1]有，不听自然无。宁可正[2]而不足[3]，不可邪[4]而有余。宁可信其有，不可信其无。

【注释】

①终日：即从早到晚。

②正：人品端正，正当。

③不足：不够，不充足。

④邪：指不正当。

【译文】

生活中的误会或纠纷每天都会有，若不去听它自然就不存在了。宁可正派行事不够，也不可走邪路。有些事宁可相信它有，也不要相信它没有。

二十三

竹篱[1]茅舍[2]风光好，道院[3]僧房总不如。命里有时终须有，命里无时莫强求。道院迎仙客[4]，书堂[5]隐[6]相儒[7]。庭[8]栽栖凤竹[9]，池养化龙鱼[10]。

【注释】

①篱：篱笆，围墙屏障，环绕在房屋周围起遮拦作用的东西。

②茅舍：即茅屋，屋顶用茅草盖成的房子，大多矮小简陋。

③道院：即道观，道教的庙。

④仙客：对道士或隐者的敬称。

⑤书堂：书房。

⑥隐：指隐居。

⑦相儒：将来能当宰相的儒生。

⑧庭：指正房前的院子。

⑨栖凤竹：指供凤凰栖身的竹子。

⑩化龙鱼：指能变化成龙的鱼。

【译文】

用竹子制成的篱笆，用茅草盖成的房子，组成了优美的风景，就连道观寺院也比不上它。命中注定有的东西一定会有，命中注定没有的东西不要去强求。道教的庙宇迎接追求成仙的客人，书房里隐居着将来能当宰相的儒生。房前的院里栽着落凤的竹子，池塘里养着能变化成龙的鱼。

二十四

结交须胜己[①]，似我不如无。但[②]看三五日，相见不如初。人情似水分高下，世事如云任[③]卷舒[④]。会说说都市，不会说屋里。

【注释】

①胜己：比自己优秀，超过自己。

②但：只要，仅。

③任：听凭，任凭。

④卷舒：云彩一会儿卷起，一会儿展开。这里用来比喻世事无常，变化多端。

【译文】

交朋友要找比自己优秀的人，和自己水平差不多的朋友还不如没有。只要观察几天，就会发现对方不如初次相见的时候。人的感情像水一样有高下之分，世上之事如同浮云一样变幻莫测。会说话的人说些都市里的事，不会说话的人就说些家里鸡毛蒜皮的事。

二十五

磨刀恨不利①，刀利伤人指。求财恨不多，财多害自己。知足②常足，终身③不辱④。知止⑤常止，终身不耻⑥。

【注释】

①磨刀恨不利：以刀不利为恨，意思是唯恐刀不锋利。恨，遗憾。

②知足：满足于已经得到的。

③终身：一辈子，一生。

④辱：使蒙受耻辱。

⑤知止：懂得适可而止。

⑥耻：令人感到羞耻的事。

【译文】

磨刀时唯恐磨得不够锋利，却不知刀过于锋利会割伤手指。追求钱财时唯恐不够多，却不知钱财太多会害了自己。满足于已经得到的，就会常常处于满足的状态，一生都不会蒙受耻辱。懂得适可而止，并常常处于停止的状态，那么一生都不会遭受耻辱。

二十六

有福伤财[1]，无福伤己。差之毫厘，失之千里[2]。若[3]登高必自[4]卑[5]，若涉[6]远必自迩[7]。三思[8]而行，再思[9]可矣。

【注释】

①伤财：指损失钱财。

②差之毫厘，失之千里：开始稍微有一点差错，结果会造成很大的错误。毫、厘，指两种极小的长度单位。

③若：如果。

④自：从。

⑤卑：处于低位。

⑥涉：跋涉，行走。

⑦迩：近。

⑧三思：再三考虑。

⑨再思：思考两次。再，两次。

【译文】

有福的人遭到不幸时只是损失钱财，无福的人遭遇不幸时则会伤及自身。开始时相差非常小，结果却会造成很大的错误。要想登上高处必须从低的地方开始，要想去很远的地方必须从近的地方出发。虽然凡事应反复考虑后再采取行动，但通常考虑两次也就可以了。

二十七

使口[1]不如自走，求人不如求已。小时是兄弟，长大各乡里[2]。妒[3]财莫妒食，怨生莫怨死。

【注释】

①使口：动嘴，用口。使，用。

②各乡里：指各自居住在不同的地方。乡里，乡民聚居的基层单位。

③妒：因为别人好而忌恨。

【译文】

动口说不如亲自走一趟，求人帮忙还不如自己去做。小的时候彼此是好兄弟，长大成人后就各奔东西了。妒忌别人的钱财多可以，但不能妒忌别人吃得好；可以怨恨活着的人，不要怨恨已死的人。

二十八

人见白头[1]嗔[2]，我见白头喜。多少少年亡，不到白头死。墙有缝，壁有耳[3]。好事不出门[4]，恶事[5]传千里。

【注释】

①白头：此指老人。

②嗔（chēn）：生气，发怒。

③壁有耳：指墙壁后面有伸着耳朵偷听的人。

④不出门：不会传到门外。

⑤恶事：坏事。

【译文】

别人看到白头发的老人会生气，我见了白头发的老人却很高兴。多少人年轻时就死去了，还没有活到有白头发的时候。墙壁上会有裂缝，隔着墙会有伸着耳朵偷听的人。好的事情很难传出去，而坏事情却能传到千里之外。

二十九

贼是小人①，智过君子②。君子固穷③，小人穷斯④滥⑤矣。贫穷自在⑥，富贵多忧。不以我为德⑦，反以我为仇。宁向直中取⑧，不可曲中求⑨。

【注释】

①小人：人格卑劣的人。

②君子：人格高尚的人。

③固穷：指安于贫贱穷困。固，坚守、安守。

④斯：就，于是。

⑤滥：泛滥，此指胡作非为，没有操守。

⑥自在：没有拘束，自由。

⑦德：恩德，恩惠。

⑧直中取：通过正当的方法获得。直，正直、公正。

⑨曲中求：通过不正派的手段求取。曲，不正派、邪僻。

【译文】

贼虽然是卑鄙的小人，但他们的智慧有时却可以超过君子。君子在困窘时仍能安分守己，小人在困窘时就会胡作非为。贫穷的人活得自由自在，富贵的人则活得很忧愁。不但不把我看成对你有恩的人，反而把我当成仇人。宁可用正当的方法去获得，也不可用不正派的手段去谋求。

三十

人无远虑[1]，必有近忧[2]。知我者谓我心忧，不知我者谓我何求[3]。晴干[4]不肯去，直待雨淋头。成事[5]莫说，覆水难收[6]。

【注释】

①远虑：指长远的考虑。

②近忧：近在眼前的忧患。

③何求：寻求什么。

④干：天气干爽。

⑤成事：已成定局的事。

⑥覆水难收：倒在地上的水难以收回。比喻事情已成定局，无法挽回。覆，倒。

【译文】

一个人如果没有长远的打算，必然会有近在眼前的忧愁。了解我的人说我内心充满忧愁，不了解我的人说我别有欲求。天气晴朗干爽时不愿前去，直到大雨淋头时才去。已成定局的事情就不要再说了，泼出去的水终究是收不回来的。

三十一

是非只为[1]多开口[2]，烦恼皆因强出头[3]。忍得一时[4]之气，免得百日之忧[5]。近来学得乌龟法，得缩头时且缩头。惧法[6]朝朝[7]乐，欺公[8]日日忧。

【注释】

①为：由于，因为。

②开口：指说话。

③强出头：遇到不关自己的事而硬要出来管。强，硬要。

④一时：一会儿，暂时。

⑤忧：忧愁。

⑥惧法：敬畏律法。

⑦朝朝：每天。

⑧欺公：侵害公共利益。

【译文】

是非都是由于说话过多而引发的，烦恼都是由于多管闲事而招致的。忍下一时的怨气，可以免除百天的忧愁。最近学会了乌龟的生存方法，该缩头的时候就要把头缩回去。敬畏律法的人天天都很快乐，侵害公共利益的人每天都活在忧愁之中。

三十二

人生[①]一世[②]，草生一春[③]。白发不随老人去，看来又是白头翁[④]。月到十五[⑤]光明少，人到中年万事休[⑥]。儿孙自有儿孙福，莫为儿孙作马牛。

【注释】

①生：活。

②一世：一辈子。

③一春：指一个春季。

④白头翁：指白发老人。

⑤十五：农历每月十五。

⑥休：罢休，停止。

【译文】

人活一辈子，草活一个春季。白头发不会随着老人去世而消失，黑头发的人很快又变成了白发老翁。月亮每月过了十五后光明就会越来越少，人到中年还一事无成，也就很难再有大的作为了。儿孙自有他们自己的福气，不要替他们当牛做马。

三十三

人生不满百，常怀千岁忧。今朝有酒今朝醉，明日愁来明日忧[①]。路逢险处难回避，事到头来[②]不自由。药能医假病，酒不解[③]真愁。

【注释】

①忧：担心，忧虑。

②到头来：结果，最后。

③解：去掉，消除。

【译文】

人的一生连一百年都不到，却经常怀有一千年的忧患。今天有酒今天就一醉方休，明天的忧愁就等到明天再说吧。走路遇到危险处难以回避，事情到最后总是由不得自己。药可以治好假病，酒却消除不了真正的忧愁。

三十四

人贫不语，水平[①]不流。一家养女百家求[②]，一马不行百马忧。有花方[③]酌酒[④]，无月不登楼。三杯通[⑤]大道[⑥]，一醉解千愁[⑦]。

【注释】

①水平：水处于同一平面。

②求：追求。

③方：才。

④酌酒：饮酒。

⑤通：通晓，懂得。

⑥大道：指高深的道理。

⑦千愁：很多的忧愁。

【译文】

人在贫穷时不爱说话，处于同一个平面上的水也不会流动。一家生育了女儿，会有一百家来求亲；一匹马不能行走，一百匹马都跟着担忧。有花可赏时才喝酒，没有明月就不去登楼欣赏。三杯酒下肚可以通晓高深的道理，喝醉以后才能消除很多烦恼忧愁。

三十五

深山毕竟藏猛虎，大海终须纳[①]细流。惜花须检点[②]，爱月不梳头[③]。大抵[④]选他肌骨[⑤]好，不傅[⑥]红粉[⑦]也风流[⑧]。

【注释】

①纳：接受。

②检点：指注意约束自己。

③梳头：古代妓院里，处子梳辫，接客梳髻。所以称首次接客为梳头。

④大抵：大概。

⑤肌骨：肌肉和骨骼。此指女性的容颜。

⑥傅：搽，涂抹。

⑦红粉：女性化妆用的胭脂和铅粉。

⑧风流：此指风韵动人。

【译文】

深山里总会藏有猛虎，大海终究要容纳细流。爱惜鲜花需注意约束自己的行为，喜爱月亮就不要梳头。大概因为一个人的容貌长得好，即使不搽脂抹粉也很漂亮动人。

三十六

受恩深[1]处宜[2]先退，得意[3]浓[4]时便可休[5]。莫待是非来入耳，从前恩爱反为仇。留得五湖[6]明月在，不愁无处下金钩[7]。休[8]别有鱼处，莫恋浅滩头。去时终须去，再三留不住。

【注释】

①深：感情深厚。

②宜：应该。

③得意：得志，实现志愿。

④浓：程度深。

⑤休：罢休，停止。

⑥五湖：我国的几个大湖，一般指洞庭湖、鄱阳湖、太湖、巢湖、洪泽湖。春秋末范蠡（lǐ）隐于五湖，后用来指代隐居之地。

⑦金钩：金属的钓钩。

⑧休：别，不要。

【译文】

得到恩情很深厚时应及早退让，春风得意时要及时罢休。千万不要等到是非传入耳内，致使以前的恩爱变成怨仇。只要五湖上的明月仍在，就不愁没有地方下钩钓鱼。不要离开有鱼的地方，也不要留恋浅水的滩头。该离开时终究会离开，无论如何挽留都没用。

三十七

忍一句，息[①]一怒，饶[②]一着[③]，退一步。三十不豪[④]，四十不富，五十相将[⑤]寻死路[⑥]。生不认魂[⑦]，死不认尸。父母恩深终有别[⑧]，夫妻义[⑨]重也分离。人生[⑩]似鸟同林宿，大限来时各自飞。

【注释】

①息：停息，停止。

②饶：宽恕，宽容。

③一着：原指下棋落一子，也比喻行事的一个步骤。

④豪：豪迈，豪放。

⑤相将：将要，行将。

⑥寻死路：寻找死亡的路径，指面临死亡。

⑦魂：迷信的人认为魂是可以离开人体而独立存在的精神。

⑧别：分开，分离。

⑨义：情谊，指人与人互相帮助、关爱的感情。

⑩人生：人的生活与生存。

【译文】

忍住少说一句，平息一次愤怒，宽容别人一次，向后退让一步。人如果到 30 岁缺乏豪情壮志，到 40 岁没变得富裕起来，到 50 岁也就离死亡不远了。人活着的时候不认识自己的灵魂，死后不认识自己的尸体。父母的恩情再深也有离别的时候，夫妻的情义再重也有分离的时候。人生就像栖息在同一个林子里的鸟，等死期来临时就各自飞走了。

三十八

人善被人欺，马善被人骑。人无横财[1]不富，马无夜草[2]不肥。人恶人怕天不怕，人善人欺天不欺。善恶到头终有报[3]，只争[4]来早与来迟。黄河尚[5]有澄清[6]日，岂可[7]人无得运[8]时。

【注释】

①横财：指意外、非分的钱财。

②夜草：夜间供给牲畜的饲料。

③报：因果报应。

④争：相差。

⑤尚：还。

⑥澄清：清亮，清澈。

⑦岂可：怎么可以。

⑧得运：运气好，走运。

【译文】

人善良往往被别人欺负，马善良总会被人任意乘骑。人不发横财就不会变富，马不吃夜草就不会长肥。邪恶的人有人怕他但天不会怕他，善良的人有人欺负他但天不会欺负他。无论是行善还是作恶，到头来都会得到报应，区别只在于来得早些或晚些而已。黄河尚且有变得澄澈的日子，人怎么可以没有时来运转的时候。

三十九

得宠[1]思辱[2]，居安虑危[3]。念念[4]有如[5]临敌日，心心[6]常似过桥[7]时。英雄行险道，富贵似花枝[8]。人情[9]莫道春光[10]好，只怕秋来有冷时。送君[11]千里，终须一别。但将[12]冷眼[13]看螃蟹，看你横行到几时。

【注释】

①宠：偏爱，宠爱。

②辱：即羞耻，指名誉上受到的损害。

③居安虑危：指随时有应付意外事件的思想准备。

④念念：连续不断的意念，每一个心念。

⑤有如：好像，犹如。

⑥心心：连绵不断的思绪。

⑦桥：此指有危险的桥。

⑧花枝：开着花的枝条，比喻好看而不长久。

⑨人情：人的感情。

⑩春光：春天的景致。

⑪君：对人的尊称。

⑫但将：只用。

⑬冷眼：轻蔑或冷漠的眼光。

【译文】

得宠的时候要考虑到将来可能会遭受耻辱，处于安定的环境时要想到以后可能会发生的危难。每一个心念都要像如临大敌一样时刻警惕，心中常常保持像过独木桥一样谨慎的状态。英雄经常在危险的道路上行走，荣华富贵如同枝条上的花一样好看而不长久。人的感情并不总是如同春光一样美好，只怕也有像秋天冷冷清清的时候。朋友送得再远，最后还是要分别。只用轻蔑的眼光来看螃蟹，看它究竟能横着爬行到什么时候。

四十

见事莫说，问事不知。闲事[1]莫管，无事早归。假饶[2]染就[3]真红色，也被旁人说是非。善事可作，恶事莫为。许[4]人一物，千金不移[5]。

【注释】

①闲事：跟自己没有关系的事。

②假饶：即使。

③就：完成。

④许：答应，许诺。

⑤移：改变。

【译文】

见到事情不要随便议论，别人问什么事就说不知道。跟自己没有关系的事不要去管，没什么事就早点回家。即使织物染上了真的红色，也会被别人议论真假。好事可以去做，坏事千万不要做。答应给别人的一件东西，就算有人以千金相换也不能反悔。

四十一

龙生龙子，虎生豹儿[①]。龙游浅水遭虾戏，虎落平阳[②]被犬欺。一举[③]首登龙虎榜[④]，十年身到凤凰池[⑤]。十年窗下[⑥]无人问，一举成名天下知。

【注释】

①虎生豹儿：老虎生下的孩子像豹子。因为老虎与豹子长得很像，故有此说。

②平阳：地势平坦之处。

③一举：一下子。

④首登龙虎榜：名字位列龙虎榜首位。龙虎榜，古时进入殿试的进士榜称龙虎榜。

⑤凤凰池：指禁苑里的池沼。魏晋南北朝时设中书省于禁苑，掌管机要，故亦称中书省为“凤凰池”。此指非常显要的官职。

⑥窗下：在书房的窗户下刻苦读书。

【译文】

龙生下龙子，虎生下的孩子像豹。龙游到浅水滩连小虾也敢戏弄，老虎落入平川会被狗欺负。参加一次考试就名列龙虎榜首位，十年苦读就进入了皇宫禁苑。寒窗下苦读十年没人理睬，一下成名后全天下人都知道你了。

四十二

酒债寻常[1]行处[2]有，人生[3]七十古来稀。养儿防老，积谷[4]防饥。鸡豚[5]狗彘[6]之畜，无失其时[7]，数口之家，可以无饥矣[8]。常将[9]有[10]日思无日，莫把无时当有时。

【注释】

①寻常：即平常。

②行处：随处，处处。

③人生：指人的一生。

④积谷：储备粮食。

⑤豚（tún）：小猪。

⑥彘（zhì）：猪。

⑦失其时：错过繁殖的时机。

⑧数口之家，可以无饥矣：几口人的家庭，就可以不挨饿了。

⑨将：把。

⑩有：有财物。

【译文】

喝酒欠债是很平常的事情，到处都有，但能活到七十岁却是自古以来就很稀少的事。养育儿女是为了防备年老时没人照料，积储粮食是为了防备饥荒。对鸡猪狗等家畜的喂养，不要错过它们繁殖的时机，这样几口人的家庭，就可以不挨饿了。常常在有财物时想想贫困的时候，生活困顿时不要像富裕时那样铺张浪费。

四十三

时[1]来风送滕王阁[2]，运[3]去雷轰荐福碑[4]。入门休问荣枯[5]事，观看容颜便得知。官清[6]司吏[7]瘦，神灵[8]庙祝[9]肥。

【注释】

①时：时运，指一时的运气。

②风送滕王阁：风把你送到滕王阁。滕王阁，位于江西省南昌市西北部赣江东岸，始建于唐朝永徽四年（653），因唐太宗李世民之弟——滕王李元婴始建而得名。

③运：命运，运气。

④荐福碑：元代马致远所作《半夜雷轰荐福碑》中的碑。相传宋时有一书生向范仲淹献诗，范仲淹要他去临摹荐福寺的碑文，出售可得善价，以救饥寒，不料当夜碑竟被雷所毁。

⑤荣枯：草木的繁茂和枯萎。比喻人世的盛衰与穷达。

⑥清：清白。

⑦司吏：古代官衙中负责办理文书的小吏。

⑧灵：灵验，预言能应验。

⑨庙祝：寺庙中管理香火的人。

【译文】

运气来的时候风能把你送到滕王阁，运气走的时候雷能击毁荐福碑。进门时不必问对方境况如何，看看他的脸色也就能知道了。为官清正廉洁，手下办理文书的小吏就消瘦；庙里的神仙灵验，管理香火的人就会肥胖。

四十四

息却[1]雷霆[2]之怒，罢[3]却虎狼[4]之威。饶[5]人算[6]之本，输[7]人算之机[8]。好言难得，恶语[9]易施[10]。一言既出，驷马难追[11]。

【注释】

①息却：停息，停止。却，用于动词后，表动作完成。

②雷霆：霹雳，暴雷。比喻震怒的状态。

③罢：免去，解除。

④虎狼：比喻勇猛或凶残。

⑤饶：宽容，宽恕。

⑥算：此指智慧。

⑦输：逊让。

⑧机：枢纽，事物的关键。

⑨恶语：恶毒的话语。

⑩施：施加于人。

⑪一言既出，驷马难追：一句话说出了口，就是套上四匹马拉的车也追不回来。形容话说出口后，就不能再收回，一定要算数。既，已经。驷马，古代同驾一辆车的四匹马。

【译文】

平息如雷霆般的怒火，收敛如虎狼般的威风。宽恕别人是智慧的根本，对人逊让是智慧的关键。好话很难听到，恶毒的话语却很容易说出口。一句话说出了口，就是套上四匹马拉的车也追不回来。

四十五

道吾好者是吾贼[1]，道吾恶[2]者是吾师。路逢险处须当避，不是才人[3]莫献诗。三人同行，必有我师[4]焉：择其善者而从[5]之，其不善者而改之。少壮[6]不努力，老大[7]徒[8]伤悲。人有善愿，天必佑[9]之。

【注释】

①贼：此指祸害。

②恶：不好。

③才人：有才华的人。

④师：学习、师法；一说指老师。

⑤从：跟随，跟从。

⑥少壮：年轻力壮。

⑦老大：指年纪大。

⑧徒：白白地。

⑨佑：保护，帮助。

【译文】

说我好的人其实是害我的人，说我不好的人是我的老师。行路遇到危险之处一定要避开，若不是有才华的人就不要献诗。三个人同行，其中必定有值得我学习的人：选取那些好的方面去学习，对那些不好的方面则对照自身加以改正。年轻时不努力上进，年老时就会空自悲伤。一个人若有善良的愿望，上天一定会帮助他去实现。

四十六

莫吃卯时[①]酒，昏昏醉到酉[②]。莫骂酉时妻[③]，一夜受孤凄[④]。种麻[⑤]得麻，种豆得豆。天网[⑥]恢恢[⑦]，疏[⑧]而不漏。

【注释】

①卯（mǎo）时：上午五点到七点。

②酉（yǒu）：即酉时，下午五点到七点。

③莫骂酉时妻：不要在酉时责骂妻子。

④孤凄：孤单凄凉。

⑤麻：麻的种子。麻，亚麻、黄麻、大麻等麻类植物的统称。

⑥天网：上天布下的罗网，也特指国家法律。

⑦恢恢：宽阔广大。

⑧疏：稀疏，事物部分之间空隙大。

【译文】

不要在早晨喝酒，不然会昏昏沉沉醉到傍晚。不要在傍晚责骂妻子，否则一夜都会感到孤单凄凉。种下麻的种子就能长出麻，种下豆的种子就能长出豆。上天布下的罗网广阔无垠，虽然网孔稀疏，却不会有一点遗漏。

四十七

见官莫向前，做客莫在后。宁添一斗[①]，莫添一口[②]。螳螂[③]捕蝉[④]，岂[⑤]知黄雀在后。不求金玉重重[⑥]贵，但愿儿孙个个贤[⑦]。一日夫妻，百世[⑧]姻缘[⑨]。百世修[⑩]来同船渡，千世修来共枕眠[⑪]。

【注释】

①一斗：即一斗粮食。

②口：人，人口。

③螳螂：昆虫，亦称刀螂。有两对长翅，前腿镰刀状，捕食害虫。

④蝉：昆虫，俗称知了。雄虫腹部有发音器，能连续不断地发出尖锐的声音；雌虫不发声，但在腹部有听器。

⑤岂：怎么，哪里。

⑥重重：一层又一层，形容很多。

⑦贤：有品德或才能。

⑧世：三十年。也指人的一辈子、一代。

⑨姻缘：指婚姻的缘分。

⑩修：修炼，修行。

⑪眠：睡觉。

【译文】

见到官员的时候不要往前凑，到别人家做客时不要往后退缩。宁可多添一斗粮食，也不要多添一口人。螳螂准备捕捉蝉，却未料到黄雀正在它后面想要吃它。不追求有很多贵重的金银珠玉，只希望子孙个个都很贤能。做一天夫妻，就结下了百世修成的缘分。修炼一百世才有同乘一条船的机会，修炼一千世才有同床共枕的机会。

四十八

杀人一万，自损三千。伤人一语，利如刀割。枯木逢春犹[1]再发[2]，人无两度[3]再少年。未晚先投宿[4]，鸡鸣早看天。

【注释】

①犹：尚且，还。

②发：生长。

③两度：两次。

④投宿：找地方住宿。

【译文】

杀死敌人一万，自己也要损失三千。说一句伤害别人的话，就像用锋利的刀砍人一样。枯萎的树木到了春天还能再次发芽，人生却不会有两次年少的时光。天还没黑就应找地方住宿，天明鸡叫了就要早点起来看看天气。

四十九

将相[1]顶头[2]堪[3]走马[4]，公侯[5]肚里好撑船[6]。富人思来年[7]，贫人[8]思眼前。世人若要人情好，赊[9]去物件莫取钱。死生有命，富贵在天[10]。

【注释】

①将相：将军与宰相。

②顶头：头顶。

③堪：能。

④走马：骑着马奔跑。

⑤公侯：公爵与侯爵，也泛指官高位显的人。

⑥撑船：用篙使船行进。

⑦来年：明年。

⑧贫人：贫民，穷人。

⑨赊：买货时买方延期交款，卖方延期收款。

⑩死生有命，富贵在天：语出《论语·颜渊》，指人的生死都是命中注定，能不能富贵全在于上天。

【译文】

将相的头顶能骑马奔跑，公侯的肚里能划船。富人想的是明年的事，穷人只考虑眼前的事。在世上要想与他人有好交情，赊欠给别人的东西就不要收钱。人的生死都是命中注定，能不能富贵全在于上天。

五十

击石[1]原有火[2]，不击乃[3]无烟。人学始知道[4]，不学亦徒然[5]。莫笑他人老，终须还[6]到老。但[7]能依[8]本分[9]，终须无烦恼。

【注释】

①石：燧石，质密、坚硬。古代常用一小块燧石和一把金属火镰击打取火。

②有火：能产生火花。

③乃：就。

④道：道理，规律。

⑤徒然：枉然，得不到收获。

⑥还：又。

⑦但：只要。

⑧依：按照。

⑨本分：安于自身所处的环境和地位。

【译文】

击打石头就会迸出火星，如果不去击打就不会冒出烟来。人只有通过学习才会明白道理，不学就得不到任何收获。不要笑话别人年纪老，自己有一天终究也会变老。只要安分守己做人，一生都不会有什么烦恼。

五十一

君子[1]爱财，取之有道[2]；贞妇[3]爱色[4]，纳[5]之以礼[6]。善有善报[7]，恶有恶报；不是不报，日子未到。

【注释】

①君子：品德高尚的人。

②有道：符合道义。

③贞妇：旧时称从一而终、丈夫死后也不再嫁人的妇女。

④色：美貌。

⑤纳：娶。

⑥礼：古代制定的行为准则与道德规范。

⑦报：报应。

【译文】

君子喜爱钱财，但都是从正当途径得来的；贞洁的女子也喜欢漂亮，但要用符合礼义规范的方式去娶她。积德行善的人会得到好的报偿，为非作歹的人也会有坏的报应；不是没有报应，只是报应的时间还没到。

五十二

人而[1]无信[2]，不知其可[3]也。一人道好，千人传实[4]。凡事要好，须问三老[5]。若争小可[6]，便失大道[7]。

【注释】

①而：如果。

②信：诚实。

③可：即可以。

④千人传实：经过上千人的传播，就成了真实的。

⑤三老：古代掌教化的乡官，泛指有声望的老人。

⑥小可：寻常、细小的事情。此指小是小非。

⑦失大道：失掉准则，违背道义。

【译文】

一个人如果不守信用，不知道怎么可以。一个人说好，经过上千人传来传去也就变成真的了。要想办好一件事，必须先向德高望重的老人请教。如果在一些小事上斤斤计较，便会违背根本原则。

五十三

年年防饥[①]，夜夜防盗。好[②]学者如禾[③]如稻，不学者如蒿[④]如草。遇饮酒时须饮酒，得[⑤]高歌[⑥]处且[⑦]高歌。因[⑧]风吹火，用力不多。

【注释】

①饥：即饥荒，因粮食歉收等引起的食物严重缺乏的状况。

②好：喜欢。

③禾：谷类植物的统称，特指水稻的植株。

④蒿：一种野生草本植物，有特殊气味。

⑤得：此指适合。

⑥高歌：放声歌唱。

⑦且：就，即。

⑧因：凭借。

【译文】

每年都要防止闹饥荒，每天夜里都要提防盗贼。爱好学习的人如同有价值的禾苗与稻谷，不爱学习的人则像没有价值的蒿草。碰到喝酒的机会就敞开喝，有适合唱歌的机会就放声高歌。借着风力吹火，不需要用太大力气。

五十四

不因渔父[①]引[②]，怎得见波涛。无求到处人情好，不饮从[③]他酒价高。知事少时烦恼少，识人多处是非多。入山不怕伤人虎，只怕人情两面刀[④]。

【注释】

①渔父：指老渔翁。

②引：引导，带领。

③从：任凭，听凭。

④两面刀：即两面三刀，比喻当面一套背后一套，居心不良，玩弄欺骗手法。

【译文】

没有老渔翁引导，怎能看到江湖上的风浪。不求人时与他人的关系都很好，不喝酒时任凭酒价再高也无所谓。知道的事情少烦恼自然也会少，认识的人多招惹的是非也就多。上山时不怕伤害人的老虎，就怕人际关系中那些两面三刀的小人。

五十五

强中更有强中手①，恶人须②用恶人磨③。会使④不在⑤家豪富⑥，风流⑦不用着衣⑧多。光阴⑨似箭，日月如梭⑩。天时⑪不如地利⑫，地利不如人和⑬。

【注释】

①手：居于某种地位的人。

②须：需要。

③磨：折磨。

④会使：善于使用物品、金钱等，犹言会计划、算计。

⑤在：取决于，决定于。

⑥豪富：有钱有势。

⑦风流：潇洒风雅。

⑧着衣：穿衣。

⑨光阴：时间。

⑩日月如梭：太阳和月亮像穿梭一样来去，形容时间过得很快。梭，织布时牵引纬线的工具，两头尖，中间粗，形状像枣核。

⑪天时：指有利于做某事的自然气候条件。

⑫地利：指地理优势。

⑬人和：指人心归一，上下团结。

【译文】

本领高强的人里还有更高强的人，恶人需要用别的恶人来折磨。善于使用财物的人家里不一定非要有钱有势，潇洒风雅的人用不着穿很多华丽的衣服。时间就像箭一样飞逝而去，日月变更如同穿梭。气候条件好不如地理条件好，地理条件好不如人心团结好。

五十六

黄金未为①贵，安乐②值钱多。世上万般③皆下品④，思量⑤唯有⑥读书高。世间好语书说尽，天下名山⑦僧⑧占多。为善最乐，为恶难逃⑨。

【注释】

①未为：还不是。

②安乐：安康快乐。

③万般：各种各样。

④下品：下等，泛指事物的最低等级。

⑤思量：考虑，仔细想。

⑥唯有：只有。

⑦名山：著名的大山。

⑧僧：指信奉佛陀教义，修行佛陀教法的出家人。

⑨为恶难逃：意思是做坏事难逃公理法度。

【译文】

黄金并不是最贵重的，安康快乐的生活才是最珍贵的。世间各种各样的行业都属于下等，想来想去只有读书才是最高等的。人世间的好话全写在书本上了，天下著名的大山大多被僧人所占据了。做好事是最快乐的，做坏事则罪责难逃。

五十七

羊有跪乳之恩[1]，鸦有反哺之义[2]。你急他未急，人闲心不闲[3]。隐恶扬善[4]，执[5]其两端[6]。妻贤[7]夫祸少，子孝[8]父心宽[9]。

【注释】

①羊有跪乳之恩：羊羔吃奶时，有前腿跪在地上的感恩举动。

②鸦有反哺之义：小乌鸦长大后，有反过来衔食喂老乌鸦的情义。

③闲：有空，没事情做。

④隐恶扬善：指不谈人的坏处，光宣扬人的好处。

⑤执：即掌管。

⑥两端：事物的两极、两头。

⑦贤：有才能或品德。

⑧孝：孝顺，尽心奉养并顺从父母。

⑨心宽：放心，宽心。

【译文】

羊羔跪着吃奶以报答母亲的恩情，小乌鸦长大后，有反过来衔食喂老乌鸦的情义。你着急的时候他不着急，人虽闲着不做事，而心里却在想着事情。隐瞒别人的短处，宣扬别人的好处，把握好正确与错误这两个方面。妻子贤惠，丈夫的灾祸就很少；儿子孝顺，父亲就能放宽心。

五十八

既[①]堕[②]釜[③]甑[④]，反顾[⑤]无益。已覆[⑥]之水，收之实难。人生知足[⑦]何时足，人老偷闲[⑧]且[⑨]是闲。但有绿杨堪[⑩]系马，处处有路通长安[⑪]。

【注释】

①既：已经。

②堕：掉，落。

③釜（fǔ）：一种圆底而无足的器物，安置在炉灶之上或是以其他物体支撑煮物，釜口为圆形，可直接用来煮、炖、煎、炒等，相当于现代的锅。

④甑（zèng）：古代的蒸食用具，多为圆形，有耳或无耳。

⑤反顾：回头看。

⑥覆：指倾倒。

⑦知足：指知道满足，满足于已经得到的。

⑧偷闲：挤出空闲时间。

⑨且：暂且，姑且。

⑩堪：能，可以。

⑪长安：我国九大古都之一，位于现关中平原的西安和咸阳附近。后通常称国都为长安。

【译文】

已经掉在地上打碎了的釜甑，再回头看它已经没有什么用处。已经泼在地上的水，再收回来实在太难。人生要知足，可是什么时候才能真正知足呢；年老的时候姑且挤出时间忙里偷闲吧。有绿色的杨树可用来拴马，处处都有道路可通往长安。

五十九

见[1]者易，学者难。莫将[2]容易得，便作等闲[3]看。用心计较[4]般般[5]错，退步[6]思量[7]事事难。道路各别[8]，养家[9]一般[10]。

【注释】

①见：看上去。

②将：把。

③等闲：平常。

④计较：打算比较。

⑤般般：每一件，件件。

⑥退步：后退，往后走。

⑦思量：考虑。

⑧各别：指各不一样。

⑨养家：赡养家里的人。

⑩一般：同样，一样。

【译文】

看上去觉得很容易，一旦真正学起来却很难。不要把轻易得到的东西看得很平常。花心思去斤斤计较反而每件事都处理不好，退一步考虑就会发现其实所有事情都很难。方法各不一样，但养家糊口的目的是一样的。

六十

从俭[①]入[②]奢[③]易，从奢入俭难。知音说与知音[④]听，不是知音莫与谈。点石化为金[⑤]，人心犹[⑥]未足。信[⑦]了肚，卖了屋。他人睨睨[⑧]，不涉[⑨]你目，他人碌碌[⑩]，不涉你足。

【注释】

①俭：不浪费，节省。

②入：至，到。

③奢：即奢侈，过分追求享受，挥霍财物。

④知音：真正了解自己的人。

⑤点石化为金：相传为古代用手指一点便让石头变成金的法术。比喻把平凡或不好的事物改变为很好的事物。

⑥犹：尚且，还。

⑦信：听任，放任。

⑧睨睨：斜着眼睛看。

⑨涉：关联，涉及。

⑩碌碌：劳苦繁忙的样子。

【译文】

由俭朴变成奢侈很容易，由奢侈再回到俭朴就很难了。知心的话应说给真正了解自己的人听，不是真正了解自己的人就不要和他说。即便能将石头点化成为金子，人心仍然不会知足。满足了肚子的欲望，结果却卖了房子。别人在一旁斜着眼睛观察，不会影响你看东西；别人辛苦忙碌，不会影响你走路。

六十一

谁人不爱[①]子孙贤，谁人不爱千钟粟[②]，奈[③]五行[④]不是这般[⑤]题目[⑥]。莫把真心空计较[⑦]，儿孙自有儿孙福。与人不和，劝人养鹅[⑧]；与人不睦[⑨]，劝人架屋[⑩]。但[⑪]行[⑫]好事，莫问前程[⑬]。

【注释】

①爱：喜欢。

②千钟粟：优厚的俸禄。钟，古代的一种计量容器，也被当作一种计量单位，一钟合八斛、十斛等。

③奈：怎奈，无奈。

④五行：指金、木、水、火、土，古人认为大自然由五种要素所构成，这五个要素的盛衰会使大自然产生变化，不但影响到人的命运，同时也使宇宙万物循环不已。此指命运。

⑤这般：这样。

⑥题目：命相，旧时指生肖、生辰八字等。

⑦计较：指打算。

⑧养鹅：养鹅更能体会争吵的烦恼。

⑨睦：亲近，关系和好。

⑩架屋：造房子。架屋非一人所能完成，需要沟通协作。

⑪但：只。

⑫行：办，做。

⑬前程：前途。

【译文】

谁不喜欢自己的子孙贤能，谁不喜爱优厚的俸禄，无奈命运中并不包括这些东西。不要把自己的一片真心空自打算，儿孙自有他们自己的福气。与他人合不来的人，就劝他养鹅；跟人不和睦的人，就劝他造房子。只要一心去做好事就行了，别考虑前途如何。

六十二

河狭水急[1]，人急[2]计[3]生。明知山有虎，莫向虎山行。路不行不到，事不为[4]不成。人不劝[5]不善，钟不打不鸣[6]。

【注释】

①急：快速且激烈。

②急：重要紧迫的事。

③计：主意，策略。

④为：做。

⑤劝：勉励，鼓励。

⑥鸣：指发出声音。

【译文】

河道窄了水流自然就湍急，人在紧急情况前自然会想出好主意。明明知道山中有猛虎，就不要再上山了。道路不去走就不会到达某个目的地，事情如果不去做就不会成功。人不去勉励就不会善良，钟不去敲打就不会发出声音。

六十三

无钱方[1]断酒[2]，临老始[3]看经[4]。点塔七层[5]，不如暗处一灯。万事劝人休瞒昧[6]，举头三尺有神明[7]。但[8]存方寸[9]地，留与子孙耕。灭却[10]心头火，剔[11]起佛前灯。惺惺[12]常不足[13]，蒙蒙[14]作公卿[15]。众星朗朗[16]，不如孤月独明。兄弟相害，不如友生[17]。

【注释】

①方：才。

②断酒：戒酒。

③始：才。

④经：传统的具有权威性的著作，经典。

⑤点塔七层：把七层高的塔全都点上灯。

⑥瞒昧：隐瞒欺骗。

⑦神明：天地间所有神灵的总称。

⑧但：只要。

⑨方寸：一寸见方，比喻很小、不大。

⑩灭却：消除，熄掉。

⑪剔：挑出。

⑫惺惺：机灵聪明，有才智。

⑬不足：不得志、不如意。

⑭蒙蒙：昏昧，蒙昧，糊涂。

⑮公卿：泛指高官。

⑯朗朗：形容明亮。

⑰友生：指朋友。

【译文】

没钱的时候才戒酒，年纪老了才开始读经典。把七层高塔中的灯都点亮，还不如在黑暗处点亮一盏灯。奉劝人们在所有事情上都不要欺瞒，因为抬起头三尺高的地方就有神灵。只求保存一块很小的土地，能留给子孙们耕种。要熄灭心头的怒火，挑亮佛前的油灯。聪明能干的人常常不如意，昏庸无能的人竟然能做高官。天上众多的星星再耀眼，也比不上一个月亮发出的光明亮。兄弟间若互相伤害，还不如朋友关系。

六十四

合理可作，小利莫争。牡丹花好空入目[①]，枣花虽小结实[②]成。欺[③]老莫欺少，欺人心不明。随分[④]耕锄收地利[⑤]，他[⑥]时饱暖谢苍天[⑦]。

【注释】

①空入目：只能供人观赏。

②实：果实。

③欺：侮辱，欺负。

④随分：依据本性。此指根据农时的变化。

⑤地利：指对农业生产有利的土地条件。

⑥他：另外的，其他的。

⑦苍天：古代认为苍天是主宰人生的神。

【译文】

合情合理的事可以去做，蝇头小利就不要去争了。牡丹花虽美丽却只能供人观赏，枣花虽很小却能结出果实。宁可欺负老人，也不要欺负年少的人，欺负别人的人是不明事理的糊涂人。按照农时的变化来耕种土地以收获农产品，等到吃饱穿暖时要感谢苍天。

六十五

得[1]忍且[2]忍，得耐[3]且耐；不忍不耐，小事成大。相论[4]逞[5]英雄，家计[6]渐渐退[7]。贤妇[8]令[9]夫贵，恶妇令夫败。

【注释】

①得：能够。

②且：就。

③耐：指承受得住。

④相论：相互谈论。

⑤逞：显示。

⑥家计：家财，家产。

⑦退：消失或减退。

⑧妇：此指妻子。

⑨令：让，使。

【译文】

能忍让的时候就忍让，该承受的时候就承受；不忍让也不承受，就会把小事弄成大事。在一起谈论时相互逞能，家产也将逐渐减少。贤惠的妻子能使丈夫变得荣华富贵，不贤惠的妻子将使丈夫一败涂地。

六十六

一人有庆[①]，兆民[②]咸[③]赖[④]。人老心未老，人穷[⑤]志不穷[⑥]。人无千日好，花无百日红。杀人可恕[⑦]，情理[⑧]难容[⑨]。

【注释】

①庆：善，善事。

②兆民：古称天子之民，后泛指百姓、众民。

③咸：都。

④赖：受益，得益。

⑤穷：贫困。

⑥穷：完，尽。

⑦恕：原谅，宽容。

⑧情理：人情与道理。

⑨容：原谅，容忍。

【译文】

一个人做了善事，所有民众都会从中受益。人虽老了但壮心还没老，人虽贫困但志气还没丧失。人不可能连续一千天总是一帆风顺，花不可能连续一百天都很红艳。杀人之罪有时可以饶恕，违背情理的事则让人难以容忍。

六十七

乍[①]富不知新受用[②]，骤[③]贫难改旧家风[④]。座中客常满，杯中酒不空[⑤]。屋漏更[⑥]遭连夜[⑦]雨，行船又遇打头风[⑧]。笋因落箨[⑨]方[⑩]成竹，鱼为奔波始化龙[⑪]。记得少年骑竹马[⑫]，看看又是白头翁[⑬]。

【注释】

①乍：忽然，突然。

②受用：享用，享受。

③骤：突然。

④家风：一个家庭或家族的传统作风，行事的准则。

⑤座中客常满，杯中酒不空：比喻结交广泛。

⑥更：又，再。

⑦连夜：连续几夜。

⑧打头风：迎面刮来的风，逆风。

⑨箨（tuò）：竹笋外层一片一片的皮，笋壳。

⑩方：才。

⑪鱼为奔波始化龙：指鱼因为通过长距离的游动跃过龙门才成为龙。

⑫竹马：指儿童游戏时当马骑的竹竿。

⑬白头翁：白发的老人。

【译文】

突然暴富起来的人会不知道如何享受新生活，一下子变贫穷的人会很难改变过去的生活方式。家中经常宾朋满座，杯中的酒从没有断过。屋子本来就漏，却又遭到连续几夜的大雨；行船本就困难，偏又碰上迎头刮来的大风。竹笋因为外皮脱落才成为竹子，鱼因为通过长距离的游动跃过龙门才成为龙。还记得少年时一起骑着竹马玩耍的情景，转眼间却变成了白发老翁。

六十八

礼义[1]生[2]于富足[3]，盗贼出于贫穷。天上众星皆拱北[4]，世间无水[5]不朝东。君子[6]安贫[7]，达人[8]知命[9]。

【注释】

①礼义：礼节与仪式。

②生：产生。

③富足：财物丰富充足。

④拱北：古人认为，天上的星星都是围绕着北极星旋转，故称拱北。拱，环抱、环绕。北，北极星。

⑤水：此指河流。

⑥君子：人格高尚的人。

⑦安贫：安于贫穷。

⑧达人：乐观豁达、通达事理的人。

⑨知命：明白事物的生灭变化都是由天命决定的道理。

【译文】

因为财物丰富充足，才会产生礼义之道；因为贫穷，才会有盗贼。天上所有的星星都围绕着北极星而旋转，世上所有的江河都向东奔流。君子能够安于贫穷的境遇，乐观豁达的人明白一切均有命运决定。

六十九

良药苦口利于病，忠言逆耳[①]利于行。顺天[②]者存，逆[③]天者亡。人为财死，鸟为食亡。夫妻相合好[④]，琴瑟[⑤]与笙簧[⑥]。

【注释】

①忠言逆耳：忠实的劝告听起来不舒服。逆耳，不顺耳、不中听。语出司马迁《史记·留侯世家》："且忠言逆耳利于行，良药苦口利于病。"

②天：古人认为天是宇宙中万物的主宰者。亦指自然界。

③逆：不顺从，抵触。

④合好：和好。

⑤琴瑟：均为弹奏乐器，由梧桐木制成。比喻夫妻感情和谐。

⑥笙簧（shēng huáng）：指笙，管乐器的一种，由若干根装在锅形座子上的竹管组成，其中一根为吹气管，用口吹奏。簧，笙中的发声簧片。

【译文】

好药吃起来虽苦却有利于治病，忠实的劝告虽然不中听却对人的处世行事大有益处。顺从天意者就可以生存，违背天意者就会灭亡。人为谋取钱财而死，鸟为谋取食物而亡。夫妻之间关系和睦，就像琴瑟与笙一样音韵和谐。

七十

有儿贫不久，无子富不长。善必寿考[①]，恶必早亡。爽口[②]食多偏作病[③]，快心[④]事过[⑤]恐生殃[⑥]。富贵定要安[⑦]本分，贫穷不必枉[⑧]思量[⑨]。

【注释】

①寿考：长寿，年高。

②爽口：清爽美味可口。

③作病：即生病。

④快心：感到畅快或满足，称心。

⑤过：过多，过分。

⑥殃：祸害，灾祸。

⑦安：感到满意、满足。

⑧枉：白费，徒然。

⑨思量：考虑。

【译文】

有儿子的人即使贫穷也不会穷很久，没有儿子的人即使富裕也不会富很久。善良的人必定长寿，邪恶的人必然早死。清爽美味可口的食物吃得太多反而会生病，让人高兴的事太多恐怕会产生祸患。富贵的人一定要安分守己，贫穷的人也不要枉费心机。

七十一

画水无风空作[1]浪，绣花虽好不闻香。贪他一斗米，失却[2]半年粮；争他一脚豚[3]，反失一肘羊[4]。

【注释】

①作：产生，兴起。

②失却：失去。

③一脚豚：猪的一个蹄。豚，猪。

④一肘羊：羊的一个肘子。

【译文】

画中的水空有滔天波浪，却听不到风声阵阵；布上绣出的花朵虽然好看，却闻不到半点花香。贪图别人的一斗米，却失去了半年的粮食；争夺他人的一个猪蹄，反而失去了一个羊肘子。

七十二

龙归晚洞云犹[1]湿，麝[2]过春山[3]草木香。平生[4]只会量[5]人短，何不回头把自量。见善如不及[6]，见恶如探汤[7]。人贫志短[8]，马瘦毛长。

【注释】

①犹：尚且，还。

②麝（shè）：又称为麝獐、香獐，前肢短，后肢长，蹄小耳大，无角。麝栖居于山林，多在拂晓或黄昏后活动，听觉、嗅觉均发达。雄麝脐下腺囊中的分泌物干燥后形成的香料即为麝香，是一种十分名贵的药材，也是极名贵的香料。

③春山：即春天的山。

④平生：平时，平素。

⑤量：评论，品评。

⑥不及：赶不上。

⑦探汤：把手伸进开水中探试温度，形容戒惧。语出《论语·季氏》："见善如不及，见不善如探汤。"

⑧短：缺少，缺乏。

【译文】

龙在晚上回到洞中时云彩还是湿的，麝走过春天的山地时连草木都带有香味。有些人平时只会议论别人的短处，为什么不回头找找自身的缺点。看见善行，就像唯恐自己赶不上似的去追求；看到不善的行为，就像把手伸进开水中探试温度一样赶紧避开。人贫穷的时候会缺少志气，马消瘦的时候毛就会显得很长。

七十三

自家心里急，他人未知忙。贫无义士[①]将金赠，病有高人[②]说药方。触[③]来莫与竞[④]，事过心清凉[⑤]。秋至满山多秀色[⑥]，春来无处不花香。凡人[⑦]不可貌相[⑧]，海水不可斗量。

【注释】

①义士：旧指守义不苟、品行超凡的人，或出财布施、慷慨乐助的人。

②高人：指才识超迈的人。

③触：冒犯，触犯。

④竞：争论。

⑤清凉：不烦扰，清静。

⑥秀色：美景。

⑦凡人：即人世间的人。

⑧貌相：根据相貌、外表来判断人。

【译文】

自己心里非常着急，别人并不知道你有多么着忙。贫穷的时候不会有仗义的人慷慨地送你钱财，生病的时候则有高明的人告诉你治病的药方。当人触犯了你的时候，不要与他发生争执，事情过去之后心境自然会平静下来。秋天到了，漫山遍野都是秀丽的景色；春天来了，处处都弥漫着醉人的花香。一个人不能凭借相貌来判定他的才华，就像海水不能用斗来衡量它的多少一样。

七十四

清清之水为土所防[①]，济济[②]之士[③]为酒所伤。蒿草[④]之下，或[⑤]有兰香[⑥]；茅茨之屋[⑦]，或有侯王[⑧]。无限朱门[⑨]生饿殍[⑩]，几多[⑪]白屋[⑫]出公卿[⑬]。

【注释】

①防：堵塞。

②济济：形容人众多的样子。

③士：对人的美称。

④蒿草：多年生草本或略成半灌木状，植株有浓烈香气。

⑤或：也许。

⑥兰香：多年生草本植物，茎叶揉碎有薄荷香气，分布于安徽、浙江、江苏及南方各省区，全草供药用。

⑦茅茨（cí）之屋：即茅屋，用茅草盖的房屋。

⑧侯王：泛指诸侯，即古代帝王统辖下的列国君主的统称。

⑨朱门：红漆大门。古代王公贵族的住宅大门漆成红色，以表尊贵。故朱门亦借指贵族豪富之家。

⑩饿殍：饿死的人。

⑪几多：多少。

⑫白屋：古代指平民的住屋。因无色彩装饰，故名。

⑬公卿：泛指高官。

【译文】

清澈的水流被沙土所堵塞，很多志士豪杰被酒所伤害。蒿草的下面可能生长着兰草；茅屋里边可能住着王侯将相。无数出身于豪门权贵之家的人最终成了饿死鬼，多少贫民的家中却出了达官贵人。

七十五

醉后乾坤[1]大，壶中日月[2]长。万事皆已定，浮生[3]空自[4]忙。千里送毫毛[5]，礼轻情义[6]重。一人传虚，百人传实。世事明如镜，前程[7]暗似漆。良田万顷[8]，日食一升；大厦千间，夜眠[9]八尺。千经万典，孝义[10]为先。

【注释】

①乾坤：天地。

②壶中日月：旧指道家清静悠闲的无为生活。

③浮生：典出《庄子·外篇·刻意第十五》："其生若浮，其死若休。"指空虚不实的人生。

④空自：白白地，徒然。

⑤毫毛：细毛，比喻极少或极小的东西。

⑥情义：人与人之间应有的感情。

⑦前程：前途。

⑧顷：田地面积的单位，1顷相当于100亩。

⑨眠：睡觉。

⑩孝义：行孝重义。

【译文】

人喝醉后会感到天地无限宽广，神仙世界里的日子很漫长。万事在命中都早已注定，人生不过是徒劳地空自忙碌一场。从千里之外送来一根细毛，礼物虽轻，情义却很深重。一个人传说虚假的事，经过上百人相传之后就被认为是真实的了。对世上的事看得非常透彻明了，但自己的前程却像漆一样暗淡。家有万顷良田，每天也只不过吃一升的粮食；即使有上千间大厦，夜里睡觉也只不过占用八尺大的一小块地方。在所有的经典中，被放在第一位的，就是行孝重义。

七十六

一字入公门[①]，九牛拖不出。衙门[②]八字开，有理无钱莫进来。富从升合[③]起，贫因不算来。家中无才子[④]，官从何处来。

【注释】

①公门：官署，衙门。

②衙门：旧时称官署为衙门，也常用来象征武力。

③升合：一升一合，比喻数量很小。升、合，都是古代粮食的度量单位，相对较小，10 合等于 1 升、10 升等于 1 斗。合，即 1 升的十分之一，10 勺为 1 合。

④才子：有才华的人。

【译文】

一张状纸送入衙门，即使用九头牛也休想再拉回来了。官署的大门呈八字状敞开着，空有理而没有钱的人还是不要进来打官司了。富裕是由一升一合积累起来的，贫穷则是由于不会精打细算而造成的。家中没有有才华的人，怎么可能会有做官的人呢。

七十七

万事不由人计较[①]，一身都是命[②]安排。急行慢行，前程只有许多[③]路。人间私语[④]，天[⑤]闻若雷；暗室[⑥]亏心[⑦]，神目[⑧]如电。一毫[⑨]之恶，劝人莫作；一毫之善，与人方便。亏[⑩]人是祸，饶[⑪]人是福；天眼[⑫]恢恢[⑬]，报应[⑭]甚速。圣贤[⑮]言语，神钦[⑯]鬼伏。

【注释】

①计较：谋划，打算。

②命：命运，旧指人的一生注定的生死、贫富及所有遭遇。

③许多：多少，若干。

④私语：低声谈话，私下说话。

⑤天：旧指宇宙中万物的主宰者。

⑥暗室：指幽暗无光的房间，特指别人看不到的地方。

⑦亏心：指感到自己的言行违背良心。

⑧目：即看。

⑨一毫：一根毫毛，比喻极微小的事物。

⑩亏：即亏待，待人有所欠缺或不公平。

⑪饶：宽恕。

⑫天眼：又称天趣眼，佛教中所说的五眼之一，能透视六道、上下、前后、内外、远近及未来等。

⑬恢恢：形容十分宽阔广大。

⑭报应：佛教用语，指有施必有报，有感必有应，故人之所得，无论祸福，皆为报应。即因种善因而招感善报，反之，因种恶因而招感恶报。

⑮圣贤：圣人与贤人。

⑯钦：佩服，敬佩。

【译文】

天下所有的事情都由不得人来计划打算，一切都是命中安排注定的。无论你急走还是慢走，前面的路都只有这么长。人们之间说的悄悄话，在天听来就像打雷一样响；人在暗地里做的亏心事，在神明看来就像闪电照耀下一样清楚。即便是极小的坏事，也要劝人不要做；即便是极小的好事，也能给别人提供方便。亏欠别人会给自己带来灾祸，宽恕他人能给自己带来福分；天眼无比广大，人的所作所为会迅速得到相应的好与坏的报应。圣贤的话语，即便鬼神听到都很钦佩。

七十八

人各有心，心各有见①。口说不如身②逢，耳闻不如目见。养军千日，用在一朝③。国清④才子⑤贵，家富小儿骄。利刀割体痕易合，恶语伤人恨不消。公道世间唯白发，贵人头上不曾⑥饶⑦。

【注释】

①见：意见，看法。

②身：自己，自身。

③一朝：短时间，一时。

④清：政治清明。

⑤才子：有才华的人。

⑥不曾：没有。

⑦饶：宽恕，宽容。

【译文】

每个人都有自己的心，每个人的心都有自己的看法。嘴里说出来不如亲身去经历，只是听说不如亲眼看到。长期供养和训练军队，就是为了在危机的时刻使用。国家政治清明，有才华的人才会受到尊重；家境富裕了，小孩子就容易娇生惯养。锋利的刀割伤了身体，伤口还容易愈合；一旦用恶毒的话伤了人，产生的怨恨就不容易消除。在世上只有人们头上的白发最为公道，即便地位显贵的人，它也一视同仁，照样在其头上生长。

七十九

有钱堪[1]出众[2]，无衣懒出门。为官须作相[3]，及第[4]早争先。苗从地发，树向枝分。父子和而家不退[5]，兄弟和而家不分。

【注释】

①堪：可以，能。

②出众：即超出众人。

③相：宰相，古代辅助帝王掌管国事的最高官员的通称。

④及第：指科举考试应试中选，因榜上题名有甲乙次第，故名。

⑤家不退：家道不会衰落。退，衰落。

【译文】

有钱就可以超出众人，而没有好衣服穿的人就懒得出门。做官就要做到宰相，科举考试就要尽早争取名列前茅。禾苗从地里长出来，树枝从树干上分出来。父子和睦家道就不会衰落，兄弟团结就不会分家。

八十

官有公法[①]，民有私约[②]。闲时[③]不烧香，急时抱佛脚[④]。幸生太平无事日，恐逢年老不多时。国乱思良将，家贫思贤妻。

【注释】

①公法：指国法。

②私约：私下订立的契约。

③闲时：没有事情做的时候。

④抱佛脚：比喻平时没联系，临时慌忙恳求；后比喻平时没准备，临时慌忙应付。

【译文】

官府有国家的法律，民间自有私下订立的契约。平常无事的时候不烧香敬佛，紧急关头时却抱着佛脚恳求。庆幸的是生在了太平盛世，担忧的是已经年老，剩下的日子不会多了。国家战乱就会希望出现良将，家境贫困就会希望有个贤惠的妻子。

八十一

池塘积水须[1]防旱，田地勤耕足养家。根深不怕风摇动，树正何愁[2]月影斜。奉劝君子[3]，各宜[4]守己[5]，只此呈示[6]，万无一失[7]。

【注释】

①须：可。

②愁：苦恼，忧虑。

③君子：对人的尊称。

④宜：应该。

⑤守己：谓安守本分，不做超出本分的事情。

⑥呈示：呈现。

⑦万无一失：指非常有把握，绝对不会出差错。

【译文】

池塘里蓄满水就可以防止干旱，土地深耕细作就足以养家糊口。树根扎得深就不怕被大风摇动，树干长得直就不用担心月下的影子斜。奉劝天下各位君子，大家做事都应该安分守己，只要按照上面所说的一切来行事，就可以保证万无一失。

附　袁氏世范

卷一 睦亲

性不可以强合

人之至亲，莫过于父子兄弟。而父子兄弟有不和者，父子或因于责善，兄弟或因于争财。有不因责善、争财而不和者，世人见其不和，或就其中分别是非而莫名其由。盖人之性，或宽缓，或褊急，或刚暴，或柔懦，或严重，或轻薄，或持检，或放纵，或喜闲静，或喜纷拏，或所见者小，或所见者大，所禀自是不同。父必欲子之强合于己，子之性未必然；兄必欲弟之性合于己，弟之性未必然。其性不可得而合，则其言行亦不可得而合。此父子兄弟不和之根源也。况凡临事之际，一以为是，一以为非。一以为当先，一以为当后。一以为宜急，一以为宜缓。其不齐如此。若互欲同于己，必致于争论。争论不胜，至于再三，至于十数，则不和之情，自兹而启，或至于终身失欢。若悉悟此理，为父兄者通情于子弟，而不责子弟之同于己；为子弟者，仰承于父兄，而不望父兄惟己之听。则处事之际，必相和协，无乖争之患。孔子曰："事父母，几谏，见志不从，又敬不违，劳而不怨。"此圣人教人和家之要术也，宜孰思之。

人必贵于反思

人之父子，或不思各尽其道，而互相责备者，尤启不和之渐也。若各能反思，则无事矣。为父者曰：“吾今日为人之父，盖前日尝为人之子矣。凡吾前日事亲之道，每事尽善，则为子者得于见闻，不待教诏而知效。倘吾前日事亲之道有所未善，将以责其子，得不有愧于心！”为子者曰：“吾今日为人之子，则他日亦当为人之父。今吾父之抚育我者如此，畀付我者如此，亦云厚矣。他日吾之待其子，不异于吾之父，则可以俯仰无愧。若或不及，非惟有负于其子，亦何颜以见其父？”然世之善为人子者，常善为人父，不能孝其亲者，常欲虐其子。此无他，贤者能自反，则无往而不善；不贤者不能自反，为人子则多怨，为人父则多暴。然则自反之说，惟贤者可以语此。

父子贵慈孝

慈父固多败子，子孝而父或不察。盖中人之性，遇强则避，遇弱则肆。父严而子知所畏，则不敢为非；父宽则子玩易，而恣其所行矣。子之不肖，父多优容；子之愿悫，父或责备之无已。惟贤智之人即无此患。至于兄友而弟或不恭，弟恭而兄或不友；夫正而妇或不顺，妇顺而夫或不正，亦由此强即彼弱，此弱即彼强，积渐而致之。为人父者，能以他人之不肖子喻己子；为人子者，能以他人之不贤父喻己父，则父慈而子愈孝，子孝而父亦慈，无偏胜之患矣。至于兄弟、夫妇，亦各能以他人之不及者喻之，则何患不友、恭、正、顺者哉！

处家贵宽容

自古人伦，贤否相杂。或父子不能皆贤，或兄弟不能皆令，或夫流荡，或妻悍暴，少有一家之中无此患者，虽圣贤亦无如之何。譬如身有疮痍疣赘，虽甚可恶，不可决去，惟当宽怀处之。能知此理，则胸中泰然矣。古人所以谓父子、兄弟、夫妇之间，人所难言者如此。

父兄不可辨曲直

子之于父，弟之于兄，犹卒伍之于将帅，胥吏之于官曹，奴婢之于雇主，不可相视如朋辈，事事欲论曲直。若父兄言行之失，显然不可掩，子弟止可和颜几谏。若以曲理而加之，子弟尤当顺受，而不当辨。为父兄者又当自省。

人贵能处忍

人言居家久和者，本于能忍。然知忍而不知处忍之道，其失尤多。盖忍或有藏蓄之意。人之犯我，藏蓄而不发，不过一再而已。积之既多，其发也，如洪流之决，不可遏矣。不若随而解之，不置胸次。曰：

此其不思尔。曰：此其无知尔。曰：此其失误尔。曰：此其所见者小尔。曰：此其利害宁几何。不使之入于吾心，虽日犯我者十数，亦不至形于言而见于色，然后见忍之功效为甚大，此所谓善处忍者。

亲戚不可失欢

骨肉之失欢，有本于至微而终至不可解者。止由失欢之后，各自负气，不肯先下尔。朝夕群居，不能无相失。相失之后，有一人能先下气，与之话言，则彼此酬复，遂如平时矣。宜深思之。

家长尤当奉承

兴盛之家，长幼多和协，盖所求皆遂，无所争也。破荡之家，妻孥未尝有过，而家长每多责骂者，衣食不给，触事不谐，积忿无所发，惟可施于妻孥之前而已。妻孥能知此，则尤当奉承。

顺适老人意

年高之人，作事有如婴孺，喜得钱财微利，喜受饮食、果实小惠，喜与孩童玩狎。为子弟者，能知此而顺适其意，则尽其欢矣。

孝行贵诚笃

人之孝行，根于诚笃，虽繁文末节不至，亦可以动天地、感鬼神。尝见世人有事亲不务诚笃，乃以声音笑貌缪为恭敬者，其不为天地鬼神所诛则幸矣，况望其世世笃孝而门户昌隆者乎！苟能知此，则自此而往，凡与物接，皆不可不诚。有识君子，试以诚与不诚者，较其久远，效验孰多？

人不可不孝

人当婴孺之时，爱恋父母至切。父母于其子婴孺之时，爱念尤厚，抚育无所不至。盖由气血初分，相去未远，而婴孺之声音笑貌自能取爱于人。亦造物者设为自然之理，使之生生不穷。虽飞走微物亦然，方其子初脱胎卵之际，乳饮哺啄必极其爱。有伤其子，则护之不顾其身。然人于既长之后，分稍严而情稍疏。父母方求尽其慈，子方求尽其孝。飞走之属稍长则母子不相识认，此人之所以异于飞走也。然父母于其子幼之时，爱念抚育，有不可以言尽者。子虽终身承颜致养，极尽孝道，终不能报其少小爱念抚育之恩，况孝道有不尽者。凡人之不能尽孝道者，请观人之抚育婴孺，其情爱如何，终当自悟。亦由天地生育之道，所以及人者至广至大，而人之报天地者何在？有对虚空焚香跪拜，或召羽流斋醮上帝，则以为能报天地，果足以报其万分之一乎？况又有怨咨乎天地者，皆不能反思之罪也。

父母不可妄憎爱

人之有子，多于婴孺之时爱忘其丑。恣其所求，恣其所为。无故叫号，不知禁止，而以罪保母。陵轹同辈，不知戒约，而以咎他人。或言其不然，则曰小未可责。日渐月渍，养成其恶，此父母曲爱之过也。及其年齿渐长，爱心渐疏，微有疵失，遂成憎怒，摭其小疵以为大恶。如遇亲故，装饰巧辞，历历陈数，断然以大不孝之名加之。而其子实无他罪，此父母妄憎之过也。爱憎之私，多先于母氏，其父若不知此理，则徇其母氏之说，牢不可解。为父者须详察此。子幼必待以严，子壮无薄其爱。

子弟须使有业

人之有子，须使有业。贫贱而有业，则不至于饥寒；富贵而有业，则不至于为非。凡富贵之子弟，耽酒色，好博弈，异衣服，饰舆马，与群小为伍，以至破家者，非其本心之不肖，由无业以度日，遂起为非之心。小人赞其为非，则有铺啜钱财之利，常乘间而翼成之。子弟痛宜省悟。

子弟不可废学

大抵富贵之家教子弟读书，固欲其取科第及深究圣贤言行之精微。然命有穷达，性有昏明，不可责其必到，尤不可因其不到而使之废学。盖子弟知书，自有所谓无用之用者存焉。史传载故事，文集妙词章，与夫阴阳、卜筮、方技、小说，亦有可喜之谈，篇卷浩博，非岁月可竟。子弟朝夕于其间，自有资益，不暇他务。又必有朋旧业儒者，相与往还谈论，何至饱食终日，无所用心，而与小人为非也。

教子当在幼

人有数子，饮食、衣服之爱不可不均一；长幼尊卑之分，不可不严谨；贤否是非之迹，不可不分别。幼而示之以均一，则长无争财之患；幼而教之以严谨，则长无悖慢之患；幼而有所分别，则长无为恶之患。今人之于子，喜者其爱厚，而恶者其爱薄。初不均平，何以保其他日无争！少或犯长，而长或陵少，初不训责，何以保其他日不悖！贤者或见恶，而不肖者或见爱，初不允当，何以保其他日不为恶！

父母爱子贵均

人之兄弟不和而至于破家者，或由于父母憎爱之偏，衣服饮食，言语动静，必厚于所爱而薄于所憎。见爱者意气日横，见憎者心不能平。积久之后，遂成深仇。所谓爱之，适所以害之也。苟父母均其所爱，兄弟自相和睦，可以两全，岂不甚善！

父母常念子贫

父母见诸子中有独贫者，往往念之，常加怜恤，饮食衣服之分或有所偏私，子之富者或有所献，则转以与之。此乃父母均一之心。而子之富者或以为怨，此殆未之思也，若使我贫，父母必移此心于我矣。

子孙当爱惜

人于子孙，虽见其作事多拂己意，亦不可深憎之。大抵所爱之子孙未必孝，或早夭，而暮年依托及身后葬祭，多是所憎之子孙。其他骨肉皆然，请以他人已验之事观之。

父母多爱幼子

同母之子，而长者或为父母所憎，幼者或为父母所爱，此理殆不可晓。窃尝细思其由，盖人生一二岁，举动笑语自得人怜，虽他人犹爱之，况父母乎？才三四岁至五六岁，恣性啼号，多端乖劣，或损动器用，冒犯危险，凡举动言语皆人之所恶。又多痴顽，不受训诫，故虽父母亦深恶之。方其长者可恶之时，正值幼者可爱之日，父母移其爱长者之心而更爱幼者，其憎爱之心从此而分，遂成迤逦。最幼者当可恶之时，下无可爱之者，父母爱无所移，遂终爱之，其势或如此。为人子者，当知父母爱之所在，长者宜少让，幼者宜自抑。为父母者又须觉悟，稍稍回转，不可任意而行，使长者怀怨，而幼者纵欲，以致破家可也。

祖父母多爱长孙

父母于长子多不之爱，而祖父母于长孙常极其爱。此理亦不可晓，岂亦由爱少子而迁及之耶？

舅姑当奉承

凡人之子，性行不相远，而有后母者，独不为父所喜。父无正室而有宠婢者亦然。此固父之昵于私爱，然为子者要当一意承顺，则天理久而自协。凡人之妇，性行不相远，而有小姑者独不为舅姑所喜。此固舅姑之爱偏，然为儿妇者要当一意承顺，则尊长久而自悟。或父或舅姑终于不察，则为子为妇无可奈何，加敬之外，任之而已。

同居贵怀公心

兄弟子侄同居，至于不和，本非大有所争。由其中有一人设心不公，为己稍重，虽是毫末，必独取于众，或众有所分，在己必欲多得。其他心不能平，遂启争端，破荡家产，驯小得而致大患。若知此理，各怀公心。取于私则皆取于私，取于公则皆取于公。众有所分，虽果实之属，直不数十钱，亦必均平，则亦何争之有！

同居长幼贵和

兄弟子侄同居，长者或恃长，陵轹卑幼。专用其财，自取温饱，因而成私。簿书出入不令幼者预知。

幼者至不免饥寒，必启争端。或长者处事至公，幼者不能承顺，盗取其财，以为不肖之资，尤不能和。若长者总持大纲，幼者分干细务，长必幼谋，幼必长听，各尽公心，自然无争。

兄弟贫富不齐

兄弟子侄贫富厚薄不同，富者既怀独善之心，又多骄傲；贫者不生自勉之心，又多妒嫉，此所以不和。若富者时分惠其余，不恤其不知恩；贫者知自有定分，不望其必分惠，则亦何争之有！

分析财产贵公当

朝廷立法，于分析一事非不委曲详悉，然有果是窃众营私，却于典卖契中，称系妻财置到，或诡名置产，官中不能尽行根究。又有果是起于贫寒，不因祖父资产，自能奋立，营置财业。或虽有祖宗财产，不因于众，别自殖立私财，其同宗之人必求分析。至于经县、经州、经所在官府累十数年，各至破荡而后已。若富者能反思，果是因众成私，不分与贫者，于心岂无所慊！果是自置财产，分与贫者，明则为高义，幽则为阴德，又岂不胜如连年争讼，妨废家务，及资备裹粮，与嘱托吏胥，贿赂官员之徒费耶？贫者亦宜自思，彼实窃众，亦由辛苦营运以至增置，岂可悉分有之？况实彼之私财，而吾欲受之，宁不自愧？苟能知此，则所分虽微，必无争讼之费也。

同居不必私藏金宝

人有兄弟子侄同居，而私财独厚，虑有分析之患者，则置金银之属而深藏之，此为大愚。若以百千金银计之，用以买产，岁收必十千。十余年后，所谓百千者，我已取之，其分与者皆其息也。况百千又有息焉，用以典质营运，三年而其息一倍，则所谓百千者，我已取之，其分与者皆其息也，况又三年再倍，不知其多少，何为而藏之箧笥，不假此收息以利众也！余见世人有将私财假于众，使之营家久而止取其本者，其家富厚，均及兄弟子侄，绵绵不绝，此善处心之报也。亦有窃盗众财，或寄妻家，或寄内外姻亲之家，终为其人用过，不敢取索及取索而不得者多矣。亦有作妻家、姻亲之家置产，为其人所掩有者多矣。亦有作妻名置产，身死而妻改嫁，举以自随者亦多矣。凡百君子，幸详鉴此，止须存心。

分业不必计较

兄弟同居，甲者富厚，常虑为乙所扰。十数年间，或甲被破坏，而乙乃增进；或甲亡而其子不能自立，乙反为甲所扰者有矣。兄弟分析，有幸应分人典卖，而己欲执赎，则将所分田产丘丘段段平分，或以两旁分与应分人，而己分处中，往往应分人未卖而己先卖，反为应分人执邻取赎者多矣。有诸父俱亡，作诸子均分，而无兄弟者分后独昌，多兄弟者分后浸微者；有多兄弟之人不愿作诸子均分而兄弟各自昌盛，胜于独据全分者；有以兄弟累众而己累独少，力求分析而后浸微，反不若累众之人昌盛如故者；有以分析不平，屡经官求再分，而分到财产随即破坏，反不若被论之人昌盛如故者。世人若知智术不胜天理，必不起争讼之心。

兄弟贵相爱

兄弟义居，固世之美事。然其间有一人早亡，诸父与子侄其爱稍疏，其心未必均齐。为长而欺瞒其幼者有之，为幼而悖慢其长者有之。顾见义居而交争者，其相疾有甚于路人。前日之美事，乃甚不美矣。故兄弟当分，宜早有所定。兄弟相爱，虽异居异财，亦不害为孝义。一有交争，则孝义何在？

众事宜各尽心

兄弟子侄，有同门异户而居者，于众事宜各尽心，不可令小儿、婢仆有扰于众。虽是细微，皆起争之渐。且众之庭宇，一人勤于扫洒，一人全不知顾，勤扫洒者已不能平，况不知顾者又纵其小儿、婢仆，常常狼藉，且不容他人禁止，则怒詈失欢多起于此。

同居相处贵宽

同居之人，有不贤者非理以相扰，若间或一再，尚可与辩。至于百无一是，且朝夕以此相临，极为难处。同乡及同官亦或有此，当宽其怀抱，以无可奈何处之。

友爱弟侄

父之兄弟，谓之伯父、叔父；其妻，谓之伯母、叔母。服制减于父母一等者，盖谓其抚字教育有父母之道，与亲父母不相远。而兄弟之子谓之犹子，亦谓其奉承报孝，有子之道，与亲子不相远。故幼而无父母者，苟有伯叔父母，则不至无所养；老而无子孙者，苟有犹子，则不至于无所归。此圣王制礼立法之本意。今人或不然，自爱其子，而不顾兄弟之子。又有因其无父母，欲兼其财，百端以扰害之，何以责其犹子之孝！故犹子亦视其伯叔父母如仇雠矣。

和兄弟教子善

人有数子，无所不爱，而为兄弟则相视如仇雠，往往其子因父之意遂不礼于伯父、叔父者。殊不知己之兄弟即父之诸子，己之诸子，即他日之兄弟。我于兄弟不和，则己之诸子更相视效，能禁其不乖戾否？子不礼于伯叔父，则不孝于父，亦其渐也。故欲吾之诸子和同，须以吾之处兄弟者示之。欲吾子之孝于己，须以其善事伯叔父者先之。

背后之言不可听

凡人之家，有子弟及妇女，好传递言语，则虽圣贤同居亦不能不争。且人之作事，不能皆是，不能皆合他人之意。宁免其背后评议。背后之言，人不传递，则彼不闻知，宁有忿争。惟此言彼闻，则积成怨恨。况两递其言，又从而增易之。两家之怨，至于牢不可解。惟高明之人，有言不听，则此辈自不能离间其所亲。

同居不可相讥议

同居之人，或相往来，须扬声曳履，使人知之。不可默造，虑其适议及我，则彼此愧惭，进退不可。况其间有不晓事之人，好伏于幽暗之处，以伺人之言语，此生事兴争之端，岂可久与同居。然人之居处，不可谓僻静无人，而辄讥议人，比虑或有闻之者，俗谓隔墙有耳，又曰日不可说人，夜不可说鬼。

妇女之言寡恩义

人家不和，多因妇女以言激怒其夫及同辈。盖妇女所见，不广不远，不公不平。又其所谓舅姑、伯叔、妯娌皆假合，强为之称呼，非自然天属。故轻于割恩，易于修怨。非丈夫有远识，则为其役而不自觉，一家之中乖变生矣。于是有亲兄弟子侄隔屋连墙，至死不相往来者；有无子而不肯以犹子为后，有多子而不以与其兄弟者；有不恤兄弟之贫，养亲必欲如一，宁弃亲而不顾者；有不恤兄弟之贫，葬亲必欲均费，宁留丧而不葬者。其事多端，不可概述。亦尝见有远识之人，知妇女之不可谏诲，而外与兄弟相爱，常不失欢。私救其所急，私赒其所乏，不使妇女知之。彼兄弟之贫者，虽深怨其妇女，而重爱其兄弟。至于当分析之际，不敢以贫故而贪爱其兄弟之财者，盖由见识高远之人不听妇女之言，而先施之厚，因以得兄弟之心也。

婢仆之言多间斗

妇女之易生言语者，又多出于婢妾之间斗。婢妾愚贱，尤无见识，以言他人之短失为忠于主母。若妇女有见识，能一切勿听，则虚佞之言不复敢进；若听之信之，从而爱之，则必再言之，又言之。使主母与人遂成深仇，为婢妾者方洋洋得志。非特婢妾为然，仆隶亦多如此。若主翁听信，则房族、亲戚、故旧皆大失欢，而善良之仆佃皆翻致诛责矣。

亲戚不宜频假贷

房族、亲戚、邻居，其贫者才有所阙，必请假焉。虽米、盐、酒、醋，计钱不多，然朝夕频频，令人厌烦。如假借衣服、器用，既为损污，又因以质钱。借之者历历在心，日望其偿；其借者非惟不偿，以行行常自若，且语人曰：“我未尝有纤毫假贷于他。”此言一达，岂不招怨怒。

亲旧贫者随力周济

应亲戚故旧有所假贷，不若随力给与之。言借，则我望其还，不免有所索。索之既频，而负偿冤主反怒曰："我欲偿之，以其不当频索。"则姑已之。方其不索，则又曰："彼不下气问我，我何为而强还之？"故索亦不偿，不索亦不偿，终于交怨而后已。盖贫人之假贷，初无肯偿之意，纵有肯偿之意，亦何由得偿？或假贷作经营，又多以命穷计绌而折阅。方其始借之时，礼甚恭，言甚逊，其感恩之心可指日以为誓。至他日责偿之时，恨不以兵刃相加。凡亲戚故旧，因财成怨者多矣。俗谓"不孝怨父母，欠债怨财主"。不若念其贫，随吾力之厚薄，举以与之。则我无责偿之念，彼亦无怨于我。

子弟常宜关防

子孙有过，为父祖者多不自知，贵官尤甚。盖子孙有过，多掩蔽父祖之耳目。外人知之，窃笑而已，不使其父祖知之。至于乡曲贵宦，人之进见有时，称道盛德之不暇，岂敢言其子孙之非！况又自以子孙为贤，而以人言为诬，故子孙有弥天之过而父祖不知也。间有家训稍严，而母氏犹有庇其子之恶，不使其父知之。富家之子孙不肖，不过耽酒、好色、赌博、近小人，破家之事而已。贵宦之子孙不止此也。其居乡也，强索人之酒食，强贷人之钱财，强借人之物而不还，强买人之物而不偿。亲近群小，则使之假势以凌人；侵害善良，则多致饰词以妄讼。乡人有曲理犯法事，认为己事，名曰担当；乡人有争讼，则伪作父祖之简，干恳州县，求以曲为直；差夫借船，放税免罪，以其所得为酒色之娱。殆非一端也。其随侍也，私令市贾买物，私令吏人买物，私托场务买物，皆不偿其直；吏人补名，吏人免罪，吏人有优润，皆必责其报；典卖婢妾，限以低价，而使他人填赔；或同院子游狎，或干场务放税。其他妄有求觅亦非一端，不恤误其父祖陷于刑辟也。凡为人父祖者，宜知此事，常关防，更常询访，或庶几焉。

子弟贪缪勿使仕宦

子弟有愚缪贪污者，自不可使之仕宦。古人谓治狱多阴德，子孙当有兴者，谓利人而人不知所自则得福。今其愚缪，必以狱讼事悉委胥辈，改易事情，庇恶陷善，岂不与阴德相反？古人又谓我多阴谋，道家所忌，谓害人而人不知所自则得祸。今其贪污，必与胥辈同谋，货鬻公事，以曲为直，人受其冤无所告诉，岂不谓之阴谋！士大夫试历数乡曲三十年前宦族，今能存者仅有几家？皆前事所致也。有远识者必信此言。

家业兴替系子弟

同居父兄子弟，善恶贤否相半，若顽狠刻薄不惜家业之人先死，则其家兴盛未易量也；若慈善长厚勤谨之人先死，则其家不可救矣。谚云：“莫言家未成，成家子未生；莫言家未破，破家子未大。”亦此意也。

养子长幼异宜

贫者养他人之子当于幼时。盖贫者无田宅可养暮年，惟望其子反哺，不可不自其幼时衣食抚养以结其心；富者养他人之子当于既长之时。今世之富人养他人之子，多以为讳故，欲及其无知之时抚养，或养所出至微之人。长而不肖，恐其破家，方议逐去，致其争讼。若取于既长之时，其贤否可以粗见，苟能温淳守己，必能事所养如所生，且不致破家，亦不致兴讼也。

子多不可轻与人

多子固为人之患，不可以多子之故轻以与人。须俟其稍长，见其温淳守己，举以与人，两家获福。如在襁褓，即以与人，万一不肖，既破他家，必求归宗，往往兴讼，又破我家，则两家受其祸矣。

养异姓子有碍

养异姓之子，非惟祖先神灵不歆其祀，数世之后，必与同姓通婚姻者，律禁甚严。人多冒之，至启争讼。

设或人不之告，官不之治，岂可不思理之所在？江西养子，不去其所生之姓，而以所养之姓冠于其上，若复姓者。虽于经律无见，亦知恶其无别如此。

立嗣择昭穆相顺

同姓之子，昭穆不顺亦不可以为后。鸿雁微物，犹不乱行，人乃不然，至以叔拜侄，于理安乎？况启争端。设不得已，养弟养侄孙以奉祭祀，惟当抚之如子，以其财产与之。受所养者，奉所养如父。如古人为嫂制服，如今世为祖承重之意，而昭穆不乱，亦无害也。

庶孽遗腹宜早辨

别宅子、遗腹子，宜及早收养教训，免致身后论讼。或已习为愚下之人，方欲归宗，尤难处也。女亦然，或与杂滥之人通私，或婢妾因他事逐出，皆不可不于生前早有辨明，恐身后有求归宗，而暗昧不明，子孙被其害者。

三代不可借人用

世有养孤遗子者，及长，使为僧道，乃从其姓，用其三代。有族人出家，而借用有荫人三代，此虽无甚利害，然有还俗求归宗者，官以文书为验，则不可断以为非，此不可不防微也。

收养义子当绝争端

贤德之人，见族人及外亲子弟之贫，多收于其家，衣食教抚如己子。而薄俗乃有贪其财产，于其身后，强欲承重，以为某人尝以我为嗣矣。故高义之事使人病于难行。惟当于平昔别其居处。明其各称。若己嗣未立，或他人之子弟年居己子之长，尤不可不明嫌疑于平昔也。娶妻而有前夫之子，接脚夫而有前妻之子，欲抚养不欲抚养，尤不可不早定，以息他日之争。同入门及不同入门，同居及不同居，当质之于众，明之于官，以绝争端。若义子有劳于家，亦宜早有所酬。义兄弟有劳有恩，亦宜割财产与之，不可拘文而尽废恩义也。

孤女财产随嫁分给

孤女有分，近随力厚嫁，合得田产，必依条分给。若吝于目前，必致嫁后有所陈诉。

孤女宜早议亲

寡妇再嫁，或有孤女年未及嫁，如内外亲姻有高义者，宁若与之议亲，使鞠养于舅姑之家，俟其长而成亲。若随母而归义父之家，则嫌疑之间多不自明。

再娶宜择贤妇

中年以后丧妻，乃人之大不幸。幼子幼女无与之抚存，饮食衣服，凡闺门之事无与之料理，则难于不娶。娶在室之人，则少艾之心，非中年以后之人所能御。娶寡居之人，或是不能安其室者，亦不易制。兼有前夫之子，不能忘情，或有亲生之子，岂免二心！故中年再娶为尤难。然妇人贤淑自守，和睦如一者，不为无人，特难值耳。

妇人不必预外事

妇人不预外事者，盖谓夫与子既贤，外事自不必预。若夫与子不肖，掩蔽妇人之耳目，何所不至。今人多有游荡赌博，至于鬻田园，甚至于鬻其所居，妻犹不觉。然则夫之不贤，而欲求预外事，何益也？子之鬻产，必同其母，而伪书契字者有之。重息以假贷，而兼并之人，不惮于论讼。贷茶盐以转货，而官司责其必偿，为母者终不能制。然则子之不贤，而欲求预外事，何益也？此乃妇人之大不幸，为之奈何？苟为夫能念其妻之可怜，为子能念其母子可怜，顿然悔悟，岂不甚善。

寡妇治生难托人

妇人有以其夫蠢懦，而能自理家务，计算钱谷出入，人不能欺者；有夫不肖，而能与其子同理家务，不致破家荡产者；有夫死子幼，而能教养其子，敦睦内外姻亲，料理家务，至于兴隆者，皆贤妇人也。而夫死子幼，居家营生，最为难事。托之宗族，宗族未必贤；托之亲戚，亲戚未必贤。贤者又不肯预人家事。惟妇人自识书算，而所托之人，衣食自给，稍识公义，则庶几焉。不然，鲜不破家。

男女不可幼议婚

人之男女，不可于幼小时便议婚姻。大抵女欲得托，男欲得偶，若论目前，悔必在后。盖富贵盛衰，更迭不常。男女之贤否，须年长乃可见。若早议婚姻，事无变易，固为甚善，或昔富而今贫，或昔贵而今贱，或所议之婿流荡不肖，或所议之女很戾不检。从其前约则难保家，背其前约则为薄义，而争讼由之以兴，可不戒哉！

议亲贵人物相当

男女议亲，不可贪其阀阅之高，资产之厚。苟人物不相当，则子女终身抱恨，况又不和而生他事者乎！

嫁娶当父母择配偶

有男虽欲择妇，有女虽欲择婿，又须自量我家子女如何。如我子愚痴庸下，若娶美妇，岂特不和，或有他事；如我女丑拙狠妒，若嫁美婿，万一不和，卒为其弃出者有之。凡嫁娶因非偶而不和者，父母不审之罪也。

媒妁之言不可信

古人谓“周人恶媒”，以其言语反覆。给女家则曰男富，给男家则曰女美。近世尤甚。给女家则曰：男家不求备礼，且助出嫁遣之资；给男家则厚许其所迁之贿，且虚指数目。若轻信其言而成婚，则责恨见欺，夫妻反目，至于仳离者有之。大抵嫁娶固不可无媒，而媒者之言，不可尽信如此。如此，宜谨察于始。

因亲结亲尤当尽礼

人之议亲，多要因亲及亲，以示不相忘，此最风俗好处。然其间妇女无远识，多因相熟而相简，至于相忽，遂至于相争而不和，反不若素不相识而骤议亲者。故凡因亲议亲，最不可托熟，缺其礼文，又不可忘其本意，极于责备，则两家周致无他患矣。故有侄女嫁于姑家，独为姑氏所恶；甥女嫁于舅家，独为舅妻所恶；姨女嫁于姨家，独为姨氏所恶，皆由玩易于其初，礼薄而怨生，又有不审于其初之过者。

女子可怜宜加爱

嫁女须随家力，不可勉强。然或财产宽余，亦不可视为他人，不以分给。今世固有生男不得力，而依托女家，及身后葬祭，皆由女子者，岂可谓生女之不如男也！大抵女子之心，最为可怜。母家富而夫家贫，则欲得母家之财以与夫家；夫家富而母家贫，则欲得夫家之财以与母家。为父母及夫者，宜怜而稍从之。及其有男女嫁娶之后，男家富而女家贫，则欲得男家之财以与女家；女家富而男家贫，则欲得女家之财以与男家。为男女者，亦宜怜而稍从之。若或割贫益富，此为非宜，不从可也。

妇人年老尤难处

人言光景百年，七十者稀，为其倏忽易过。而命穷之人，晚景最不易过，大率五十岁前过二十年如十年，五十岁后过十年不啻二十年。而妇人之享高年者，尤为难过。大率妇人依人而立，其未嫁之前，有好祖不如有好父，有好父不如有好兄弟，有好兄弟不如有好子侄；其既嫁之后，有好翁不如有好夫，有好夫不如有好子，有好子不如有好孙。故妇人多有少壮享富贵而暮年无聊者，盖由此也。凡其亲戚，所宜矜念。

眉头亲戚当虑后患

人之姑、姨、姊、妹及亲戚妇人，年老而子孙不肖，不能供养者，不可不收养。然又须关防，恐其身故之后，其不肖子孙却妄经官司，称其人因饥寒而死，或称其人有遗下囊箧之物。官中受其牒，必为追证，不免有扰。须于生前令白之于众，质之于官，称身外无余物，则免他患。大抵要为高义之事，须令无后患。

分给财产务均平

父祖高年，怠于管干，多将财产均给子孙。若父祖出于公心，初无偏曲，子孙各能戮力，不事游荡，则均给之后，既无争讼，必至兴隆。若父祖缘有过房之子，缘有前母后母之子，缘有子亡而不爱其孙，又有虽是一等子孙，自有憎爱，凡衣食财物所及，必有厚薄，致令子孙力求均给，其父祖又于其中暗有轻重，安得不起他日之争端！若父祖缘其子孙内有不肖之人，虑其侵害他房，不得已而均给者，止可逐时均给财谷，不可均给田产。若均给田产，彼以为己分所有，必邀求尊长立契典卖，典卖既尽，窥觑他房，从而婪取，必至兴讼，使贤子贤孙被其扰害，同于破荡，不可不思。大抵人之子孙或十数人皆能守己，其中有一不肖，则十数均受其害，至于破家者有之。国家法令百端，终不能禁；父祖智谋百端，终不能防。欲延家祚者，鉴他家之已往，思我家之未来，可不修德熟虑，以为长久之计耶？

遗嘱公平虑后患

遗嘱之文，皆贤明之人，为身后之虑。然亦须公平，乃可以保家。如劫于悍妻黠妾，因于后妻爱子中，有偏曲厚薄。或妄立嗣，或妄逐子，不近人情之事，不可胜数，皆所以兴讼破家也。

遗嘱之文宜预为

父祖有虑子孙争讼者，常欲预为遗嘱之文，而不知风烛不常，因循不决，至于疾病危笃，虽心中尚了然，而口不能言，手不能动，饮恨而死者多矣。况有神识昏乱者乎！

卷二　处己

从之智识有高下

人之智识固有高下，又有高下殊绝者。高之见下，如登高望远，无不尽见；下之视高，如在墙外欲窥墙里。若高下相去差近犹可与语；若相去远甚，不如勿告，徒费口颊舌尔。譬如弈棋，若高低止较三五着，尚可对弈，国手与未识筹局之人对弈，果何如哉？

处富贵不宜骄傲

富贵乃命分偶然，岂宜以此骄傲乡曲！若本自贫窭，身致富厚，本自寒素，身致通显，此虽人之所谓贤，亦不可以此取尤于乡曲。若因父祖之遗资而坐享肥浓，因父祖之保任而驯致通显，此何以异于常人！其间有欲以此骄傲乡曲，不亦羞而可怜哉！

礼不可因人分轻重

世有无知之人，不能一概礼待乡曲。而因人之富贵贫贱设为高下等级。见有资财有官职者则礼恭而心敬。资财愈多，官职愈高，则恭敬又加焉。至视贫者，贱者，则礼傲而心慢，曾不少顾恤。殊不知彼之富贵，非吾之荣，彼之贫贱，非我之辱，何用高下分别如此！长厚有识君子必不然也。

穷达自两途

操履与升沉，自是两途。不可谓操履之正，自宜荣贵，操履不正，自宜困厄。若如此，则孔、颜应为宰辅，而古今宰辅达官，不复小人矣。盖操履自是吾人当行之事，不可以此责效于外物。责效不效，则操履必怠，而所守或变，遂为小人之归矣。今世间多有愚蠢而享富厚，智慧而居贫寒者，皆有一定之分，不可致诘。若知此理，安而处之，岂不省事。

世事更变皆天理

世事多更变，乃天理如此。今世人往往见目前稍稍荣盛，以为此生无足虑，不旋踵而破坏者多矣。大抵天序十年一换甲，则世事一变。今不须广论久远，只以乡曲十年前、二十年前比论目前，其成败兴衰何尝有定势！世人无远识，凡见他人兴进及有如意事则怀妒，见他人衰退及有不如意事则讥笑。同居及同乡人最多此患。若知事无定势，则自虑之不暇，何暇妒人笑人哉！

人生劳逸常相若

应高年享富贵之人，必须少壮之时尝尽艰难，受尽辛苦，不曾有自少壮享富贵安逸至老者。早年登科及早年受奏补之人，必于中年龃龉不如意，却于暮年方得荣达。或仕宦无龃龉，必其生事窘薄，忧饥寒，虑婚嫁。若早年宦达，不历艰难辛苦，及承父祖生事之厚，更无不如意者，多不获高寿。造物乘除之理类多如此。其间亦有始终享富贵者，乃是有大福之人，亦千万人中间有之，非可常也。今人往往机心巧谋，皆欲不受辛苦，即享富贵至终身。盖不知此理，而又非理计较，欲其子孙自小安然享大富贵，尤其蔽惑也，终于人力不能胜天。

贫富定分任自然

富贵自有定分，造物者既设为一定之分，又设为不测之机，役使天下之人，朝夕奔趋，老死而不觉。不如是，则人生天地间全然无事，而造化之术穷矣。然奔趋而得者，不过一二；奔趋而不得者，盖千万人。世人终以一二者之故，至于劳心费力，老死无成者多矣。不知他人奔趋而得，亦其定分中所有者。若定分中所有，虽不奔趋，迟以岁月，亦终必得。故世有高见远识超出造化机关之外，任其自去自来者，其胸中平夷。无忧喜，无怨尤，所谓奔趋及相倾之事未尝萌于意见，则亦何争之有？前辈谓死生贫富生来注定。君子赢得为君子，小人枉了做小人。此言甚切，人自不知耳。

忧患顺受则少安

人生世间，自有知识以来，即有忧患如意事。小儿叫号，皆其意有不平。自幼至少至壮至老，如意之事常少，不如意之事常多。虽大富贵之人，天下之所仰羡以为神仙，而其不如意处各自有之，与贫贱人无异，特所忧虑之事异尔。故谓之缺陷世界，以人生世间无足心满意者。能达此理而顺受之，则可少安。

谋事难成则永久

凡人谋事，虽日用至微者，亦须龃龉而难成，或几成而败，既败而复成。然后其成也，永久平宁，无复后患。若偶然易成，后必有不如意者。造物微机不可测度如此，静思之，则见此理，可以宽怀。

性有所偏在救失

人之德性出于天资者，各有所偏。君子知其有所偏，故以其所习为而补之，则为全德之人。常人不自知其偏，以其所偏而直情径行，故多失。《书》言九德，所谓宽、柔、愿、乱、扰、直、简、刚、强者，天资也；所谓栗、立、恭、敬、毅、温、廉、塞、义者，习为也。此圣贤之所以为圣贤也。后世有以性急而佩韦、性缓而佩弦者，亦近此类。虽然，己之所谓偏者，苦不自觉，须询之他人乃知。

人行有长短

人之性行，虽有所短，必有所长。与人交游，若常见其短而不见其长，则时日不可同处；若常念其长而不顾其短，虽终身与之交游可也。

人不可怀慢伪妒疑之心

处己接物，而常怀慢心、伪心、妒心、疑心者，皆自取轻辱于人，盛德君子所不为也。慢心之人，自不如人，而好轻薄人。见敌己以下之人，及有求于我者，面前既不加礼，背后又窃讥笑。若能回省其身，则愧汗浃背矣。伪心之人言语委曲，若甚相厚，而中心乃大不然。一时之间人所信慕，用之再三则踪迹露见，为人所唾去矣。妒心之人常欲我之高出于人，故闻有称道人之美者，则忿然不平，以为不然；闻人有不如人者，则欣然笑快，此何加损于人，只厚怨耳。疑心之人，人之出言，未尝有心，而反复思绎曰：“此讥我何事，此笑我何事？”则与人缔怨，常萌于此。贤者闻人讥笑，若不闻焉，此岂不省事！

人贵忠信笃敬

言忠信，行笃敬，乃圣人教人取重于乡曲之术。盖财物交加，不损人而益己，患难之际，不妨人而利己，所谓忠也。有所许诺，纤毫必偿，有所期约，时刻不易，所谓信也。处事近厚，处心诚实，所谓笃也。礼貌卑下，言辞谦恭，所谓敬也。若能行此，非惟取重于乡曲，则亦无入而不自得。然敬之一事，于己无损，世人颇能行之，而矫饰假伪，其中心则轻薄，是能敬而不能笃者，君子指为谀佞，乡人久亦不归重也。

厚于责己薄责人

忠、信、笃、敬，先存其在己者，然后望其在人者。如在己者未尽，而以责人，人亦以此责我矣。今世之人，能自省其忠、信、笃、敬者盖寡，能责人以忠、信、笃、敬者皆然也。虽然，在我者既尽，在人者亦不必深责。今有人能尽其在我者固善矣，乃欲责人之似己，一或不满吾意，则疾之已甚，亦非有容德者，只益贻怨于人耳！

处事当无愧心

今人有为不善之事，幸其人之不见不闻，安然自得，无所畏忌。殊不知人之耳目可掩，神之聪明不可掩。凡吾之处事，心以为可，心以为是，人虽不知，神已知之矣。吾之处事，心以为不可，心以为非，人虽不知，神已知之矣。吾心即神，神即祸福，心不可欺，神亦不可欺。《诗》曰："神之格思，不可度思，矧可射思。"释者以谓"吾心以为神之至也"，尚不可得而窥测，况不信其神之在左右，而以厌射之心处之，则亦何所不至哉？

为恶祷神为无益

人为善事而未遂，祷之于神，求其阴助，虽未见效，言之亦无愧。至于为恶而未遂，亦祷之于神，求其阴助，岂非欺罔！如谋为盗贼而祷之于神，争讼无理而祷之于神，使神果从其言而幸中，此乃贻怒于神，开其祸端耳。

公平正直人之当然

凡人行己公平正直者，可用此以事神，而不可恃此以慢神；可用此以事人，而不可恃此以傲人。虽孔子亦以敬鬼神、事大夫、畏大人为言，况下此者哉！彼有行己不当理者，中有所慊，动辄知畏，犹能避远灾祸，以保其身。至于君子而偶罹于灾祸者，多由自负以召致之耳。

悔心为善之几

人之处事，能常悔往事之非，常悔前言之失，常悔往年之未有知识，其贤德之进，所谓长日加益，而人不自知也。古人谓行年六十，而知五十九之非者，可不勉哉！

恶事可戒而不可为

凡人为不善事而不成，正不须怨天尤人，此乃天之所爱，终无后患。如见他人为不善事常称意者，不须多羡，此乃天之所弃。待其积恶深厚，从而殄灭之。不在其身，则在其子孙，姑少待之，当自见也。

善恶报应难穷诘

人有所为不善，身遭刑戮，而其子孙昌盛者，人多怪之，以为天理不误。殊不知此人之家，其积善多，积恶少，少不胜多，故其为恶之人身受其报，不妨福祚延及后人。若作恶多而享寿富安乐，必其前人之遗泽将竭，天不爱惜，恣其恶深，使之大坏也。

人能忍事则无争心

人能忍事，易以习熟，终至于人以非理相加，不可忍者，亦处之如常。不能忍事，亦易以习熟，终至于睚眦之怨深，不足较者，亦至交詈争讼，期以取胜而后已，不知其所失甚多。人能有定见，不为客气所使，则身心岂不大安宁！

小人当敬远

人之平居，欲近君子而远小人者。君子之言，多长厚端谨，此言先入于吾心，及之临事，自然出于长厚端谨矣；小人之言多刻薄浮华，此言先入于吾心，及吾之临事，自然出于刻薄浮华矣。且如朝夕闻人尚气好凌人之言，吾亦将尚气好凌人而不觉矣；朝夕闻人游荡不事绳检之言，吾亦将游荡不事绳检而不觉矣。如此非一端，非大有定力，必不免渐染之患也。

老成之言更事多

老成之人，言有迂阔，而更事为多。后生虽天资聪明，而见识终有不及。后生例以老成为迂阔，凡其身试见效之言欲以训后生者，后生厌听而毁诋者多矣。及生年齿渐长，历事渐多，方悟老成之言可以佩服，然已在险阻艰难备尝之后矣。

君子有过必思改

圣贤犹不能无过，况人非圣贤，安得每事尽善？人有过失，非其父兄，孰肯诲责；非其契爱，孰肯谏谕。泛然相识，不过背后窃讥之耳。君子惟恐有过，密访人之有言，求谢而思改。小人闻人之有言，则好为强辩，至绝往来，或起争讼者有矣。

言语贵简当

言语简寡，在我可以少悔；在人可以少怨。

小人为恶不必谏

人之出言举事，能思虑循省，而不幸有失，则在可谏可议之域。至于恣其性情，而妄言妄行，或明知其非而故为之者，是人必挟其凶暴强悍以排人之异己。善处乡曲者，如见似此之人，非惟不敢谏诲，亦不敢置于言议之间，所以远侮辱也。尝见人不忍平昔所厚之人有失，而私纳忠言，反为人所怒，曰："我与汝至相厚，汝亦谤我耶！"孟子曰："不仁者，可与言哉？"

觉人不善知自警

不善人虽人所共恶，然亦有益于人。大抵见不善人则警惧，不至自为不善。不见不善人则放肆，或至自为不善而不觉。故家无不善人，则孝友之行不彰；乡无不善人，则诚厚之迹不着。譬如磨石，彼自销损耳，刀斧资之以为利。老子云："不善人乃善人之资。"谓此尔。若见不善人而与之同恶相济，及与之争为长雄，则有损而已，夫何益？

门户当寒生不肖子

乡曲有不肖子弟，耽酒好色，博弈游荡，亲近小人，豢养驰逐，轻于破荡家产，至为乞丐窃盗者，此其家门厄数如此，或其父祖稔恶至此。未闻有因谏诲而改者，虽其至亲，亦当处之无可奈何，不必谗谗，徒厚其怨。

正己可以正人

勉人为善，谏人为恶，固是美事，先须自省。若我之平昔自不能为，岂惟人不见听，亦反为人所薄。且如己之立朝可称，乃可诲人以立朝之方：己之临政有效，乃可诲人以临政之术；己之才学为人所尊，乃可诲人以进修之要；己之性行为人所重，乃可诲人以操履之详；己能身致富厚，乃可诲人以治家之法；己能处父母之侧而谐和无间，乃可诲人以至孝之行。苟为不然，岂不反为所笑！

浮言不足恤

人有出言至善，而或有议之者；人有举事至当，而或有非之者。盖众心难一，众口难齐如此。君子之出言举事，苟揆之吾心，稽之古训，询之贤者，于理无碍，则纷纷之言皆不足恤，亦不必辨。自古圣贤，当代宰辅，一时守令，皆不能免，居乡曲，同为编氓，尤其无所畏，或轻议己，亦何怪焉？大抵指是为非，必妒忌之人，及素有仇怨者，此曹何足以定公论，正当勿恤勿辩也。

谀巽之言多奸诈

人有善诵我之美，使我喜闻而不觉其谀者，小人之最奸黠者也。彼其面谀我而我喜，及其退与他人语，未必不窃笑我为他所愚也。人有善揣人意之所向，先发其端，导而迎之，使人喜其言与己暗合者，亦小人之最奸黠者也。彼其揣我意而果合，及其退与他人语，又未必不窃笑我为他所料也。此虽大贤，亦甘受其侮而不悟，奈何？

凡事不为已甚

人有詈人而人不答者，人必有所容也。不可以为人之畏我，而更求以辱之。为之不已，人或起而我应，恐口噤而不能出言矣。人有讼人而人不校者，人必有所处也。不可以为人之畏我，而更求以攻之。为之不已，人或出而我辨，恐理亏而不能逃罪也。

言语虑后则少怨尤

亲戚故旧，人情厚密之时，不可尽以密私之事语之，恐一旦失欢，则前日所言，皆他人所凭以为争讼之资。至有失欢之时，不可尽以切实之语加之，恐忿气既平之后，或与之通好结亲，则前言可愧。大抵忿怒之际，最不可指其隐讳之事，而暴其父祖之恶。吾之一时怒气所激，必欲指其切实而言之，不知彼之怨恨深入骨髓。古人谓“伤人之言，深于矛戟”是也。俗亦谓“打人莫打膝，道人莫道实”。

与人言语贵和颜

亲戚故旧，因言语而失欢者，未必其言语之伤人，多是颜色辞气暴厉，能激人之怒。且如谏人之短，语虽切直，而能温颜下气，纵不见听，亦未必怒。若平常言语，无伤人处，而词色俱厉，纵不见怒，亦须怀疑。古人谓“怒于室者色于市”，方其有怒，与他人言，必不卑逊。他人不知所自，安得不怪！故盛怒之际与人言语尤当自警。前辈有言：“诫酒后语，忌食时嗔，忍难耐事，顺自强人。”常能持此，最得便宜。

老人当敬重

高年之人，乡曲所当敬者，以其近于亲也。然乡曲有年高而德薄者，谓刑罚不加于己，轻詈辱人，不知愧耻。君子所当优容而不较也。

与人交游贵和易

与人交游，无问高下，须常和易，不可妄自尊大，修饰边幅。若言行崖异，则人岂复相近！然又不可太亵狎，樽酒会聚之际，固当歌笑尽欢，恐嘲讥中触人讳忌，则忿争兴焉。

才行高人自服

行高人自重，不必其貌之高；才高人自服，不必其言之高。

小人作恶必天诛

居乡曲间，或有贵显之家，以州县观望而凌人者。

又有高资之家，以贿赂公行而凌人者。方其得势之时，州县不能奈何，鬼神犹或避之，况贫穷之人，岂可与之较？屋宅坟墓之所邻，山林田园之所接，必横加残害，使归于己而后已。衣食所资，器用之微，凡可其意者，必夺而有之。如此之人惟当逊而避之，逮其稔恶之深，天诛之加，则其家之子孙自能为其父祖破坏，以与乡人复仇也。乡曲更有健讼之人，把持短长，妄有论讼，以致追扰，州县不敢治其罪。又有恃其父兄子弟之众，结集凶恶，强夺人所有之物，不称意则群聚殴打。又复贿赂州县，多不竟其罪。如此之人，亦不必求以穷治，逮其稔恶之深，天诛之加，则无故而自罹于宪网，有计谋所不及救者。大抵作恶而幸免于罪者，必于他时无故而受其报。所谓“天网恢恢，疏而不漏也”。

君子小人有二等

乡曲士夫，有挟术以待人，近之不可，远之则难者，所谓君子中之小人，不可不防，虑其信义有失，为我之累也。农、工、商、贾、仆、隶之流，有天资忠厚可任以事、可委以财者，所谓小人中之君子，不可不知，宜稍抚之以恩，不复虑其诈欺也。

居官居家本一理

士大夫居家能思居官之时，则不至干请把持而挠时政；居官能思居家之时，则不狠愎暴恣而贻人怨。不能回思者皆是也。故见任官每每称寄居官之可恶，寄居官亦多谈见任官之不韪，并与其善者而掩之也。

小人难责以忠信

忠信二事，君子不守者少，小人不守者多。且如小人以物市于人，敝恶之物，饰为新奇，假伪之物饰为真实。如绢帛之用胶糊，米麦之增湿润，肉食之灌以水，药材之易以他物。巧其言词，止于求售，误人食用，有不恤也。其不忠也类如此。负人财物久而不偿，人苟索之，期以一月，如期索之不售，又期以一月，如期索之又不售。至于十数期而不售如初。工匠制器，要其定资，责其所制之器，期以一月，如期索之不得，又期以一月，如期索之又不得，至于十数期而不得如初。其不信也类如此，其他不可悉数。小人朝夕行之，略不之怪，为君子者往往忿懥，直欲深治之，至于殴打论讼。若君子自省其身，不为不忠不信之事，而怜小人之无知，及其间有不得已而为自便之计，至于如此，可以少置之度外也。

戒货假药

张安国舍人知抚州日，闻有卖假药者，出榜戒约曰："陶隐居、孙真人，因《本草》《千金方》济物利生，多积阴德，名在列仙。自此以来，行医货药，诚心救人，获福报者甚众。不论方册所载，只如近时，此验尤多，有只卖一真药便家资巨万。或自身安荣，享高寿；或子孙及第，改换门户，如影随形，无所差错。又曾眼见货卖假药者，期初积得些小家业，自谓得计，不知冥冥之中，自家合得禄料都被减克。或自身多有横祸，或子孙非理破荡，致有遭天火、被雷震者。盖缘赎药之人，多是疾病急切，将钱告求卖药之家，孝子顺孙只望一服见效，却被假药误赚，非惟无益，反致损伤。寻常误杀一飞禽走兽，犹有因果，况万物之中人命最重，无辜被祸，其痛何穷！”词多更不尽载。舍人此言，岂止为假药者言之，有识之人，自宜触类。

言貌重则有威

市井街巷，茶坊酒肆，皆小人杂处之地。吾辈或有经由，须当严重其辞貌，则远轻侮之患。或有狂醉之人，宜即回避，不必与之较可也。

衣服不可侈异

衣服举止异众，不可游于市，必为小人所侮。

居乡曲务平淡

居于乡曲，舆马衣服不可鲜华。盖乡曲亲故，居贫者多，在我者孑然异众，贫者羞涩，必不敢相近，我亦何安之有？此说不可与口尚乳臭者言。

妇女衣饰务洁净

妇女衣饰，惟务洁净，尤不可异众。且如十数人同处，而一人之衣饰独异，众所指目，其行坐能自安否？

礼仪制欲之大闲

饮食，人之所欲，而不可无也，非理求之，则为饕为馋；男女，人之所欲，而不可无也，非理狎之，则为奸为淫；财物，人之所欲，而不可无也，非理得之，则为盗为贼。人惟纵欲，则争端起而狱讼兴。圣王虑其如此，故制为礼，以节人之饮食、男女；制为义，以限人之取与。君子于是三者，虽知可欲，而不敢轻形于言，况敢妄萌于心！小人反是。

见得思义则无过

圣人云：不见可欲，使心不乱。此最省事之要求。盖人见美食而下咽，见美色而必凝视，见钱财而必起欲得之心，苟非有定力者，皆不免此。惟能杜其端源，见之而不顾，则无妄想，无妄想则无过举矣。

人为情惑则忘返

子弟有耽于情欲，迷而忘返，至于破家而不悔者，盖始于试为之，由其中无所见，不能识破，则遂至于不可回。

子弟当谨交游

世人有虑子弟血气未定，而酒色博弈之事，得以昏乱其心，寻至于失身破家，则拘之于家，严其出入，绝其交游，致其无所见闻，朴野蠢鄙，不近人情。殊不知此非良策。禁防一弛，情窦顿开，如火燎原，不可扑灭。况居之于家，无所用心，却密为不肖之事，与出外何异？不若时其出入，谨其交游，虽不肖之事习闻既熟，自能识破，必知愧而不为。纵试为之，亦不至于朴野蠢鄙，全为小人之所摇荡也。

家成于忧惧破于怠忽

起家之人，生财富庶，乃日夜忧惧，虑不免于饥寒。破家之子，生事日消，乃轩昂自恣，谓“不复可虑”。所谓“吉人凶其吉，凶人吉其凶”，此其效验，常见于已壮未老，已老未死之前，识者当自默喻。

兴废有定理

起家之人，见所作事无不如意，以为智术巧妙如此，不知其命分偶然，志气洋洋，贪取图得。又自以为独能久远，不可破坏，岂不为造物者所窃笑？盖其破坏之人，或已生于其家，曰子曰孙，朝夕环立于其侧者，皆他日为父祖破坏生事之人，恨其父祖目不及见耳。前辈有建第宅，宴工匠于东庑曰：“此造宅之人。”宴子弟于西庑曰：“此卖宅之人。”后果如其言。

近世士大夫有言："目所可见者，漫尔经营；目所不及见者，不须置之谋虑。"此有识君子知非人力所及，其胸中宽泰，与蔽迷之人如何。

用度宜量入为出

起家之人，易于增进成立者。盖服食器用及吉凶百费，规模浅狭，尚循其旧，故日入之数，多于已出，此所以常有余。富家之子，易于倾覆破荡者，盖服食器用及吉凶百费，规模广大，尚循其旧，又分其财产立数门户，则费用增倍于前日。子弟有能省悟，远谋损节犹虑不及，况有不之悟者，何以支持乎？古人谓"由俭入奢易，由奢入俭难"，盖谓此尔。大贵人之家尤难于保成。方其致位通显，虽在闲冷，其俸给亦厚，其馈遗亦多，其使令之人满前，皆州郡廪给，其服食器用虽极华侈，而其费不出于家财。逮其身后，无前日之俸给、馈遗使令之人，其日用百费非出家财不可。况又析一家为数家，而用度仍旧，岂不至于破荡？此亦势使之然，为子弟者各宜量节。

起家守成宜为悠久计

人之居世，有不思父祖起家艰难，思与之延其祭祀，又不思子孙无所凭藉，则无以脱于饥寒。多生男女，视如路人，耽于酒色，博弈游荡，破坏家产，以取一时之快。此皆家门不幸。如此冒干刑宪，彼亦不恤。

岂教诲劝谕责骂之所能回？置之无可奈何而已。

节用有常理

人有财物，虑为人所窃，则必缄縢扃鐍，封识之甚严。虑费用之无度而致耗散，则必算计较量，支用之甚节。然有甚严而有失者，盖百日之严，无一日之疏，则无失；百日严而一日不严，则一日之失与百日不严同也。有甚节而终至于匮乏者，盖百事节而无一事之费，则不至于匮乏，百事节而一事不节，则一事之费与百事不节同也。所谓百事者，自饮食、衣服、屋宅、园馆、舆马、仆御、器用、玩好，盖非一端。丰俭随其财力，则不谓之费。不量财力而为之，或虽财力可办，而过于侈靡，近于不急，皆妄费也。年少主家事者宜深知之。

事贵预谋后则时失

中产之家，凡事不可不早虑。有男而为之营生，教之生业，皆早虑也。至于养女，亦当早为储蓄衣衾、妆奁之具，及至遣嫁，乃不费力。若置而不问，但称临时，此有何术？不过临时鬻田庐，及不恤女子之羞见人也。至于家有老人，而送终之具不为素办，亦称临时。亦无他术，亦是临时鬻田庐，及不恤后事之不如仪也。今人有生一女而种杉万根者，待女长，则鬻杉以为嫁资，此其女必不至失时也。有于少壮之年，置寿衣寿器寿茔者，此其人必不至三日五日无衣无棺可敛，三年五年无地可葬也。

居官居家本一理

居官当如居家，必有顾藉；居家当如居官，必有纲纪。

子弟当习儒业

士大夫之子弟，苟无世禄可守，无常产可依，而欲为仰事俯育之资，莫如为儒。其才质之美，能习进士业者，上可以取科第致富贵，次可以开门教授，以受束修之奉。其不能习进士业者，上可以事笔札，代笺简之役，次可以习点读，为童蒙之师。如不能为儒，则巫医、僧道、农圃、商贾、伎术，凡可以养生而不至于辱先者，皆可为也。子弟之流荡，至于为乞丐、盗窃，此最辱先之甚。然世之不能为儒者，乃不肯为巫医、僧道、农圃、商贾、伎术等事，而甘心为乞丐、盗窃者，深可诛也。凡强颜于贵人之前而求其所谓应副；折腰于富人之前而托名于假贷；游食于寺观而人指为穿云子，皆乞丐之流也。居官而掩蔽众目，盗财入己，居乡而欺凌愚弱，夺其所有，私贩官中所禁茶盐酒酤之属，皆窃盗之流也。世人有为之而不自愧者何哉？

荒怠淫逸之患

凡人生而无业，及有业而喜于安逸，不肯尽力者，家富则习为下流，家贫则必为乞丐。凡人生而饮酒无算，食肉无度，好淫滥，习博弈者，家富则致于破荡，家贫则必为盗窃。

周急贵乎当理

人有患难不能济，困苦无所诉，贫乏不自存，而其人朴讷怀愧，不能自言于人者，吾虽无余，亦当随力周助。此人纵不能报，亦必知恩。若其人本非窘乏，而以干谒为业，挟持便佞之术，遍谒贵人富人之门，过州干州，过县干县，有所得则以为己能，无所得则以为怨仇。在今日则无感恩之心，在他日则无报德之事，正可以不恤不顾待之。岂可割吾之不敢用，以资人之不当用？

不可轻受人恩

居乡及在旅，不可轻受人之恩。方吾未达之时，受人之恩，常在吾怀，每见其人，常怀敬畏，而其人亦以有恩在我，常有德色。及吾荣达之后，遍报则有所不及，不报则为亏义，故虽一饭一缣，亦不可轻受。前辈见人仕宦而广求知己，戒之曰：“受恩多，则难以立朝。”宜详味此。

受人恩惠当记省

今人受人恩惠多不记省，而有所惠于人，虽微物亦历历在心，古人言：施人勿念，受施勿忘。诚为难事。

人情厚薄勿深较

人有居贫困时，不为乡人所顾，及其荣达，则视乡人如仇雠。殊不知乡人不厚于我，我以为憾；我不厚于乡人，乡人他日亦独不记耶？但于其平时薄我者，勿与之厚，亦不必致怨。若其平时不与吾相识，苟我可以济助之者，亦不可不为也。

抱怨以直乃公心

圣人言“以直报怨”，最是中道，可以通行。大抵以怨报怨，固不足道，而士大夫欲邀长厚之名者，或因宿仇，纵奸邪而不治，皆矫饰不近人情。圣人之所谓直者，其人贤，不以仇而废之；其人不肖，不以仇而庇之。是非去取，各当其实。以此报怨，必不至递相酬复无已时也。

讼不可长

居乡不得已而后与人争，又不得已而后与人讼，彼稍服其不然则已之，不必费用财物，交结胥吏，求以快意，穷治其仇。至于争讼财产，本无理而强求得理，官吏贪谬，或可如志，宁不有愧于神明！仇者不伏，更相诉讼，所费财物，十数倍于其所直，况遇贤明有司，安得以无理为有理耶？大抵人之所讼互有短长，各言其长而掩其短，有司不明，则牵连不决。或决而不尽其情，胥吏得以受赇而弄法，蔽者之所以破家也。

暴吏害民必天诛

官有贪暴，吏有横刻，贤豪之人不忍乡曲众被其恶，故出力而讼之。然贪暴之官必有所恃，或以其有亲党在要路，或以其为州郡所深喜，故常难动摇。横刻之吏，亦有所恃，或以其为见任官之所喜，或以其结州曹吏之有素，故常无忌惮。及至人户有所诉，则官求势要之书以请托，吏以官库之钱而行赂，毁去簿历，改易案牍。人户虽健讼，亦未便轻胜。兼论诉官吏之人，又只欲劫持官府，使之独畏己，初无为众除害之心。常见论诉州县官吏之人，恃为官史所畏，拖延税赋不纳。人户有折变，己独不受折变；人户有科敷，己独不伏科敷。睨立庭下，抗对长官；端坐司房，骂辱胥辈；冒占官产，不肯输租；欺凌善弱，强欲断治；请托公事，必欲以曲为直，或与胥吏通同为奸，把持官员，使之听其所为，以残害乡民。凡如此之官吏，如此之奸民，假以岁月，纵免人祸，必自为天所诛也。

民俗淳顽当求其实

士大夫相见，往往多言某县民淳、某县民顽，及询其所以然，乃谓见任官赃污狼籍，乡民吞声饮气而不敢言，则为淳；乡民列其恶而诉之州郡监司，则为顽。此其得顽之名，岂不枉哉？今人多指奉化县为顽，问之奉化人，则曰："所讼之官皆有入己赃，何谓奉化为顽？"如黄岩等处人言皆然，此正圣人所谓"期民也，三代之所以直道而行也"。何顽之有！今具其所以为顽之目：应纳税赋而不纳，及应供科配而不供，则为顽；若官中因事广科，从而隐瞒，其民户不肯供纳则，不为顽。官吏断事，出于至公，又合法意，乃任私忿，求以翻异，则为顽；若官吏受财，断直为曲，事有冤抑，次第陈诉，则不为顽。官员清正，断事自己，豪横之民无所行赂，无所措谋，则与胥吏表里撰合语言，妆点事务，妄兴论讼，则为顽；若官员与吏为徒，百般诡计，掩人耳目，受接贿赂，偷盗官钱，人户有能出力为众论诉，则不为顽。

官有科付之弊

县、道有非理横科，及预借官物者，必相率而次第陈讼。盖两税自有常额，足以充上供州用县用；役钱亦有常额，足以供解发支雇。县官正己以率下，则民间无隐负不输；官中无侵盗妄用，未敢以为有余，亦何不足之有？惟作县之人不自检己，吃者、著者、日用者，般挈往来，送遗给托，置造器用，储蓄囊箧，及其他百色之须，取给于手分乡司。为手分乡司者，岂有将己财而奉县官，不过就薄历之中，恣为欺弊。或揽人户税物而不纳；或将到库之钱而他用；或伪作过军、过客券，旁及修葺廨舍，而公求支破；或阳为解发而中途截拨。其弊百端，不可悉举。县官既素受其污啖，往往知而不问，况又有懵然不晓财赋之利病。及晓之者，又与之通同作弊。一年之间，虽至小邑，亏失数千缗，殆不觉也。于是有横科预借之患，及有拖欠州郡之数。及将任满，请托关节以求脱去，而州郡遂将积欠勒令后政补偿。夫前政以一年财赋不足一年支解，为后政者岂能以一年财赋补足数年财赋！故于前政预借钱物多不认理，或别设巧计阴夺民财，以求补足旧欠，其祸可胜言哉！大凡居官莅事，不可不仔细，猾吏奸民尤当深察。若轻信吏人，则彼受乡民遗赂，百端撰造，以曲为直，从而断决，岂不枉哉！间有子弟为官懵然不晓事理者，又有与吏同贪，虽知其是否而妄决者，乡民冤抑莫伸。仕宦多无后者，以此。盖亦思上之所以责任我者何意？而下之所以赴愬于我者，正望我以伸其冤抑，我其可以不公其心哉！凡为官吏当以公心为主，非特在己无愧，而子孙亦职有利矣！

卷三　治家

宅舍关防贵周密

人之居家，须令墙垣高厚，藩篱周密，窗壁门关坚牢，随损随修。如有水窦之类，亦须常设格子，务令新固，不可轻忽。虽窃盗之巧者，穴墙剪篱，穿壁决关，俄顷可办。比之颓墙败篱、腐壁敝门以启盗者有间矣。且免奴婢奔窜及不肖子弟夜出之患。如外有窃盗，内有奔窜及子弟生事，纵官司为之受理，岂不重费财力！

山居须置庄佃

居止或在山谷村野僻静之地，须于周围要害去处，置立庄屋，招诱丁多之人居之。或有火烛窃盗，可以即相救应。

夜间防盗宜警急

凡夜犬吠，盗未必至，亦是盗来探试，不可以为他而不警。夜间遇物有声，亦不可以为鼠而不警。

防盗宜巡逻

屋之周围须令有路可以往来，夜间遣人十数遍巡之。善虑事者，居于城郭，无甚隙地，亦为夹墙，使逻者往来其间。若屋之内，则子弟及奴婢更迭巡警。

夜间逐盗宜详审

夜间觉有盗，便须直言："有盗"。徐起逐之，盗必且窜。不可乘暗击之，恐盗之急以刀伤我，及误击自家之人。若持烛见盗，击之犹庶几，若获盗而已受拘执，自当准法，无过殴伤。

富家少蓄金帛免招盗

多蓄之家，盗所觊觎，而其人又多置什物，喜于矜耀，尤盗之所垂涎也。富厚之家若多储钱谷，少置什物，少蓄金宝丝帛，纵被盗亦不多失。前辈有戒其家："自冬夏衣之外，藏帛以备不虞，不过百匹。"此亦高人之见，岂可与世俗言！

防盗宜多端

劫盗有中夜炬火露刃，排门而入人家者，此尤不可不防。须于诸处往来路口，委人为耳目，或有异常，则可以先知。仍预置便门，遇有警急，老幼妇女且从便门走避。又须子弟及仆者，平时常备器械，为御敌之计。可敌则敌，不可敌则避。切不可令盗得我之人，执以为质，则邻保及捕盗之人不敢前。

刻剥招盗之由

劫盗虽小人之雄，亦自有识见。如富家平时不刻剥，又能乐施，又能种种方便，当兵火扰攘之际，犹得保全，至不忍焚掠污辱者多。盗所快意于劫杀之家，多是积恶之人，富家各宜自省。

失物不可猜疑

家居或有失物，不可不急寻。急寻，则人或投之僻处，可以复收，则无事矣。不急，则转而出外，愈不可见。又不可妄猜疑人，猜疑之当，则人或自疑，恐生他虞；猜疑不当，则正窃者反自得意。况疑心一生，则所疑之人，揣其行坐辞色皆若窃物，而实未尝有所窃也。或已形于言，或妄有所执治，而所失之物偶见，或正窃者方获，则悔将若何？

睦邻里以防不虞

居宅不可无邻家，虑有火烛，无人救应。宅之四围，如无溪流，当为池井，虑有火烛，无水救应。又须平时抚恤邻里，有恩义，有士大夫平时多以官势残虐邻里，一日为仇人刃其家，火其屋宅。邻居更相戒曰："若救火，火熄之后，非惟无功，彼更讼我，以为盗取他家财物，则狱讼未知了期。若不救火，不过杖一百而已。"邻里甘受杖而坐视其大厦为煨烬，生生之具无遗。此其平时暴虐之效也。

火起多以厨灶

火之所起，多从厨灶。盖厨屋多时不扫，则埃墨易得引火，或灶中有留火，而灶前有积薪接连，亦引火之端也。夜间最当巡视。

焙物宿火宜儆诫

烘焙物色过夜，多致遗火。人家房户，多有覆盖宿火而以衣笼罩之上，皆能致火，须常戒儆。

田家致火之由

蚕家屋宇低隘，于炙簇之际，不可不防火。农家储积粪壤，多为茅屋，或投死火于其间，须防内有余烬未灭，能致火烛。

致火不一类

茅屋须常防火；大风须常防火；积油物、积石灰须常防火。此类甚多，切须询究。

小儿不可带金宝

富人有爱其小儿者，以金银宝珠之属饰其身。小人有贪者，于僻静处坏其性命而取其物，虽闻于官而置于法，何益？

小儿不可独游街市

市邑小儿，非有壮夫携负，不可令游街巷，虑有诱略之人也。

小儿不可临深

人之家居，井必有干，池必有栏，深溪急流之处，峭险高危之地，机关触动之物，必有禁防，不可令小儿狎而临之。脱有疏虞，归怨于人，何及？

亲宾不宜多强酒

亲宾相访，不可多虐以酒。或被酒夜卧，须令人照管。往时括苍有困客以酒，且虑其不告而去，于是卧于空舍而钥其门，酒渴索浆不得，则取花瓶水饮之。次日启关而客死矣。其家讼于官。郡守汪怀忠究其一时舍中所有之物，云“有花瓶，浸旱莲花”。试以旱莲花浸瓶中，取罪当死者试之，验，乃释之。又有置水于案而不掩覆，屋有伏蛇遗毒于水，客饮而死者。凡事不可不谨如此。

婢仆奸盗宜深防

清晨早起，昏晚早睡，可以杜绝奸盗等事。

严内外之限

司马温公《居家杂仪》：“令仆子，非有警急修葺，不得入中门；妇女婢妾，无故不得出中门。只令铃下小童通传内外。治家之法，此过半矣。

婢妾常宜防闭

婢妾与主翁亲近，或多挟此私通，仆辈有子，则以主翁藉口。畜愚贱之裔，至破家者多矣。凡有婢妾不可不谨其始，亦不可不防其终。

侍婢不可不谨出入

人有婢妾，不禁出入，至与外人私通有妊。不正其罪而遽逐去者，往往有于主翁身故之后，自言是主翁遗腹子，以求归宗。旋致兴讼。世俗所宜警此，免累后人。

婢妾不可供给

人有以正室妒忌，而于别宅置婢妾者；有供给娼女，而绝其与人往来者。其关防非不密，监守非不谨，然所委监守之人，得其犒遗，反与外人为耳目以通往来，而主翁不知，至养其所生子为嗣者。又有妇人临蓐，主翁不在，则弃其所生之女，而取他人之子为己子者。主翁从而收养，不知非其己子，庸俗愚暗，大抵类此。

暮年不宜置宠妾

妇人多妒，有正室者少蓄婢妾，蓄婢妾者多无正室。夫蓄婢妾者，内有子弟，外有仆隶，皆当关防。制以主母，犹有他事，况无所统辖！以一人之耳目临之，岂难欺蔽哉！暮年尤非所宜，使有意外之事，当如之何？

婢妾不可不谨防

夫蓄婢妾之家，有僻室而人所不到，有便门而可以通外。或溷厕与厨灶相近，而使膳夫掌庖；或夜饮在于内室，而使仆子供役，其弊有不可防者。盖此曹深谋而主不之猜，此曹迭为耳目，而主又何由知觉！

美妾不可蓄

夫置婢妾，教之歌舞，或使侑樽以为宾客之欢，切不可蓄姿貌黠慧过人者，虑有恶客起觊觎之心。彼见美丽，必欲得之。逐兽则不见泰山，苟势可以临我，则无所不至。绿珠之事在古可鉴，近世亦多有之，不欲指言其名。

赌博非闺门所应有

士大夫之家，有夜间男女群聚呼卢至于达旦，岂无托故而起者。试静思之。

仆厮当取勤扑

人家有仆，当取其朴直谨愿，勤于任事，不必责其应对进退之快人意。人之子弟不知温饱所自来者，不求自己德业之出众，而独与仆者俏黠之出众，费财以养无用之人，固未甚害，生事为非，皆此辈导之也。

轻诈之仆不可蓄

仆者而有市井浮浪子弟之态，异巾美服，言语矫诈，不可蓄也。蓄仆之久，而骤然如此，闺阃之事，必有可疑。

待奴仆当宽恕

奴仆小人，就役于人者，天资多愚，作事乖舛背违，不曾有便当省力之处。如顿放什物，必以斜为正；如裁截物色，必以长为短。若此之类，殆非一端，又性多忘，嘱之以事，全不记忆；又性多执，所见不是，自以为是；又性多很，轻于应对，不识分守。所以雇主于使令之际，常多叱咄，其为不改，其言愈辩，顾主愈不能平。于是箠楚加之，或失手而至于死亡者有矣。凡为家长者，于使令之际有不如意，当云“小人天资之愚如此，宜宽以处之”。多其教诲，省其嗔怒可也。如此，则仆者可以免罪，主者胸中亦大安乐，省事多矣。至于婢妾，其愚尤甚。妇人既多褊急很愎，暴忍残刻，又不知古今道理，其所以责备婢妾者，又非丈夫之比。为家长者宜于平昔常以待奴仆之理喻之，其间必自有晓然者。

奴仆不可深委任

人之居家，凡有作为，及安顿什物，以至田园、仓库、厨、厕等事，皆自为之区处，然后三令五申，以责付奴仆，犹惧其遗忘，不如吾志。今有人一切不为之区处。凡事无大小听奴仆自为谋，不合己意，则怒骂，鞭挞继之。彼愚人，止能出力以奉吾令而已，岂能善谋，一一暗合吾意。若不知此，自见多事。且如工匠执役，必使一不执役者为之区处，谓之“都料匠”。盖人凡有执为，则不暇他见，须令一不执为者旁观而为之区处，则不烦扰而功增倍矣。

顽很婢仆宜善遣

婢仆有顽很全不中使令者，宜善遣之，不可留，留则生事。主或过于殴伤，此辈或挟怨为恶，有不容言者。婢仆有奸盗及逃亡者，宜送之于官，依法治之，不可私自鞭挞，亦恐有意外之事。或逃亡非其本情，或所窃止于饮食微物，宜念其平日有劳，只略惩之，仍前留备使令可也。

婢仆不可自鞭挞

婢仆有小过，不可亲自鞭挞，盖一时怒气所激，鞭挞之数必不记，徒且费力，婢仆未必知畏。惟徐徐责问，令他人执而挞之，视其过之轻重而定其数。虽不过怒，自然有威，婢妾亦自然畏惮矣。寿昌胡氏，彦特之家，子弟不得自打仆隶，妇女不得自打婢妾。有过则告之家长，家长为之行遣。妇女擅打婢妾则挞子弟，此贤者之家法也。

教治婢仆有时

婢仆有过，既以鞭挞，而呼唤使令，辞色如常，则无他事。盖小人受杖，方内怀怨，而主人怒不之释，恐有轻生而自残者。

婢仆横逆宜详审

婢仆有无故而自经者，若其身温可救，不可解其缚。须急抱其身，令稍高，则所缢处必稍宽。仍更令一人以指于其缢处渐渐宽之。觉其气渐往来，乃可解下。仍急令人吸其鼻中，使气相接，乃可以苏。或不晓此理，而先解其系处，其身力重，其缢处愈急，只一嘘气便不可救。此不可不预知也。如身已冷，不可救，或救而不苏，当留本处，不可移动。叫集邻保，以事闻官。仍令得力之人日夜同与守视，恐有犬鼠之属残其尸也。自刃不殊，宜以物掩其伤处。或已绝，亦当如前说。人家有井，于甃处宜为缺级，令可以上下。或有坠井投井者，可以令人救应。或不及，亦当如前说。溺水投水，而水深不可援者，宜以竹篙及木板能浮之物投与之。溺者有所执，则身浮可以救应。或不及，亦当如前说。夜睡魇死及卒死者，亦不可移动，并当如前说。

婢仆疾病当防备

婢仆无亲属而病者，当令出外就邻家医治，仍经邻保录其词说，却以闻官。或有死亡，则无他虑。

婢仆当令饱暖

婢仆欲其出力办事，其所以御饥寒之具，为家长者不可不留意，衣须令其温，食须令其饱。士大夫有云：蓄婢不厌多，教之纺绩，则足以衣其身；蓄仆不厌多，教之耕种，则足以饱其腹。大抵小民有力，足以办衣食。而力无所施，则不能以自活，故求就役于人。为富家者能推恻隐之心，蓄养婢仆，乃以其力还养其身，其德至大矣。而此辈既得温饱，虽苦役之，彼亦甘心焉。

凡物各宜得所

婢仆宿卧去处，皆为检点。令冬时无风寒之患，以至牛、马、猪、羊、猫、狗、鸡、鸭之属遇冬寒时，各为区外牢圈栖息之处。此皆仁人之用心，见物我为一理也。

人物之性皆贪生

飞禽走兽之与人，形性虽殊，而喜聚恶散，贪生畏死，其情则与人同。故离群则向人悲鸣，临庖则向人哀号。为人者既忍而不之顾，反怒其鸣号者有矣。胡不反己以思之？物之有望于人，犹人之有望于天也。物之鸣号有诉于人，而人不之恤，则人之处患难死亡困苦之际，乃欲仰首叫号，求天之恤耶！大抵人居病患不能支持之时，及处囹圄不能脱去之时，未尝不反复究省平日所为，某者为恶，某者为不是，其所以改悔自新者，指天誓日可表。至病患平宁，及脱去罪戾，则不复记省，造罪作恶无异往日。余前所言，若令于经历患难之人，必以为然。犹恐痛定之后不复记省，彼不知患难者，安知不以吾言为迂？

求乳母令食失恩

有子而不自乳，使他人乳之，前辈已言其非矣。况其间求乳母于未产之前者，使不举己子而乳我子，有子方婴孩，使舍之而乳我子，其己子呱呱而泣，至于饿死者。有因仕宦他处，逼勒牙家诱赚良人之妻，使舍其夫与子而乳我子，因挟以归乡，使其一家离散，生前不复相见者。士夫递相庇护，国家法令有不能禁，彼独不畏于天哉？

雇女使年满当送还

以人之妻为婢，年满而送还其夫；以人之女为婢，年满而送还其父母；以他乡之人为婢，年满而送归其乡。此风俗最近厚者，浙东士大夫多行之。有不还其夫而擅嫁他人，有不还其父母而擅与嫁人，皆兴讼之端。况有不恤其离亲戚、去乡土、役之终身，无夫无子，死为无依之鬼，岂不甚可怜哉！

婢仆得土人最善

蓄奴婢惟本土人最善。盖或有患病，则可责其亲属为之扶持；或有非理自残，既有亲属明其事因，公私又有质证。或有婢妾无夫、子、兄、弟可依，仆隶无家可归，念其有劳不可不养者，当令预经邻保，自言并陈于官。或预与之择其配，婢使之嫁，仆使之娶，皆可绝他日意外之患也。

雇婢仆要牙保分明

雇婢仆须要牙保分明。牙保，又不可令我家人为之也。

买婢妾当询来历

买婢妾既已成契，不可不细询其所自来。恐有良人子女，为人所诱略。果然，则即告之官，不可以婢妾还与引来之人，虑残其性命也。

买婢妾当审可否

买婢妾须问其应典卖不应典卖。如不应典卖则不可成契。或果穷乏无所依倚，须令经官自陈，下保审会，方可成契。或其不能自陈，令引来之人于契中称说："少与雇钱，待其有亲人识认，即以与之也。"

狡狯子弟不可用

族人、邻里、亲戚有狡狯子弟，能恃强凌人，损彼益此，富家多用之以为爪牙，且得目前快意。此曹内既奸巧，外常柔顺，子弟责骂狎玩，常能容忍。为子弟者亦爱之。他日家长既殁之后，诱子弟为非者皆此等人也。大抵为家长者必自老练，又其智略能驾驭此曹，故得其力。至于子弟，须贤明如其父兄，则可无虑。中才之人鲜不为其鼓惑，以致败家。唐史有言："妖禽孽狐，当昼则伏息自如，得夜乃徉狂自态。"正谓此曹。若平昔延接淳厚刚正之士，虽言语多拂人意，而子弟与之久处，则有身后之益。所谓"快意之事常有损，拂意之事常有益"，凡事皆然，宜广思之。

淳谨干人可付托

干人有管库者，须常谨其书簿，审其见存。干人有管谷米者，须严其簿书，谨其管钥，兼择谨畏之人，使之看守。干人有贷财本兴贩者，须择其淳厚，爱惜家业，方可付托。盖中产之家，日费之计犹难支吾，况受佣于人，其饥寒之计，岂能周足？中人之性，目见可欲，其心必乱，况下愚之人，见酒食声色之美，安得不动其心？向来财不满其意而充其欲，故内则与骨肉同饥寒，外则视所见如不见。今其财物盈溢于目前，若日日严谨，此心姑寝。主者事势稍宽，则亦何惮而不为？其始也，移用甚微，其心以为可偿，犹未经虑。久而主不知觉，则日增焉，月益焉，积而至于一岁，移用已多，其心虽惴惴，无可奈何，则求以掩覆。至二年三年，侵欺已大彰露，不可掩覆。主人欲峻治之，已近噬脐。故凡委托干人，所宜警此。

存恤佃客

国家以农为重，盖以衣食之源在此。然人家耕种出于佃人之力，可不以佃人为重！遇其有生育、婚嫁、营造、死亡，当厚赒之。耕耘之际，有所假贷，少收其息。水旱之年，察其所亏，早为除减。不可有非理之需；不可有非时之役。不可令子弟及干人私有所扰；不可因其仇者告语，增其岁入之租；不可强其称贷，使厚供息；不可见其自有田园，辄起贪图之意。视之爱之，不啻于骨肉。则我衣食之源，悉藉其力，俯仰可以无愧怍矣。

佃仆不宜私假借

佃仆妇女等，有于人家妇女、小儿处，称“莫令家长知”，而欲重息以生借钱谷，及欲借质物以济急者，皆是有心脱漏，必无还意。而妇女、小儿不令家长知，则不敢取索，终为所负。为家长者，宜常以此喻其家人知也。

外人不宜入宅舍

尼姑、道婆、媒婆、牙婆及妇人以买卖、针灸为名者，皆不可令入人家。凡脱漏妇女财物及引诱妇女为不美之事，皆此曹也。

溉田陂塘宜修治

池塘、陂湖、河埭，蓄水以溉田者，须于每年冬月水涸之际，浚之使深，筑之使固。遇天时亢旱，虽不至于大稔，亦不至于全损。今人往往于亢旱之际，常思修治，至收刈之后，则忘之矣。谚所谓“三月思种桑，六月思筑塘”，盖伤人之无远虑如此。

修治陂塘其利博

池塘陂湖河埭有众享其溉田之利者，田多之家，当相与率倡，令田主出食，佃人出力，遇冬时修筑，令多蓄水。及用水之际，远近高下，分水必均，非止利己，又且利人，其利岂不博哉？今人当修筑之际，靳出食力，及用水之际，奋臂交争，有以锄耰相殴至死者。纵不死，亦至坐狱被刑，岂不可伤！然至此者，皆田主悭吝之罪也。

桑木因时种植

桑、果、竹、木之属，春时种植甚非难事，十年二十年之间即享其利。今人往往于荒山闲地，任其弃废。至于兄弟析产，或因一根荄之微，忿争失欢。比邻山地偶有竹木在两界之间，则兴讼连年。宁不思使向来天不产此，则将何所争？若以争讼所费，佣工植木，则一二十年之间，所谓材木不可胜用也。其间有以果木逼于邻家，实利有及于其童稚，则怒而伐去之者，尤无所见也。

邻里贵和同

人有小儿，须常戒约，莫令与邻里损折果木之属。人养牛羊，须常看守，莫令与邻里踏践山地六种之属。人养鸡鸭，须常照管，莫令与邻里损啄菜茹六种之属。有产业之家，又须各自勤谨。坟茔山林，欲聚丛长茂荫映，须高其墙围，令人不得逾越。园圃种植菜茹六种及有时果去处，严其篱围，不通人往来，则亦不至临时责怪他人也。

田产界至宜分明

人有田园山地，界至不可不分明。异居分析之初，置产典买之际，尤不可不仔细。人之争讼多由此始。且如田亩，有因地势不平，分一丘为两丘者；有欲便顺并两丘为一丘者；有以屋基山地为田，又有以田为屋基园地者；有改移街路水圳者。官中虽有经界图籍，坏烂不存者多矣。况又从而改易，不经官司邻保验证，岂不大启争端？人之田亩，有在上丘者，若常修田畔，莫令倾倒，人之屋基园地，若及时筑叠垣墙，才损即修，人之山林，若分明挑掘沟堑，才损即修，有何争讼？惟其卤莽，田畔倾倒，修治失时，屋基园地止用篱围，年深坏烂，因而侵占山林或用分水，犹可辩明，间有以木、以石、以坎为界，年深不存，及以坑为界，而外又有一坑相似者，未尝不启纷纷不决之讼也。至于分析，止凭阄书，典买止凭契书，或有卤莽，该载不明，公私不能决，可不戒哉！间有典买山地，幸其界至有疑，故令元契称说不明，因而包占者，此小人之用心。遇明有官司，自正其罪矣。

分析阄书宜详具

分析之家置造阄书，有各人止录己分所得田产者，有一本互见他分者。止录己分多是内有私曲，不欲显暴，故常多争讼。若互见他分，厚薄肥瘠可以毕见，在官在私易为折断。此外，或有宣劳于众，众分充与田产；或有一分独薄，众分充与田产；或有因妻财、因仕宦置到，来历明白；或有因营运置到，而众不愿分者，并宜于阄书后开具。仍须断约，不在开具之数则为漏阄，虽分析后，许应分人别求均分，可以杜绝隐瞒之弊，不至连年争讼不决。

寄产避役多后患

人有求避役者，虽私分财产甚均，而阄书砧基则妆在一分之内，令一人认役，其他物力低小不须充应。而其子孙有欲执书契而掩有之者，遂兴诉讼。官司欲断从实，则于文有碍；欲以文为断，而情则不然。此皆俗曹初无远见，规避于目前而贻争于身后，可以鉴此。

冒户避役起争之端

人有已分财产而欲避免差役，则冒同宗有官之人为一户籍者，皆他日争讼之端由也。

析户宜早印阄书

县道贪污，遇有析户印阄，则厚有所需。人户惮于所费，皆匿而不印，私自割析。经年既深，贫富不同，恩义顿疏，或至争讼。一以为已分失去阄书，一以为财分未尽，未立阄书。官中从文则碍情，从情则碍文，故多久而不决之患。凡析户之家宜即印阄书，以杜后患。

田产宜早印契割产

人户交易，当先凭牙家，索取阄书砧基，指出丘段围号，就问见佃人，有无界至交加，典卖重叠。次问其所亲，有无应分人出外未回，及在卑幼未经分析。或系弃产，必问其初应与不应受弃。或寡妇卑子执凭交易，必问其初曾与不曾勘会。如系转典卖，则必问其元契已未投印，有无诸般违碍，方可立契。如有寡妇幼子应押契人，必令人亲见其押字。如价贯年月、四至、亩角，必即书填。应债负货物不可用，必支见钱。取钱必有处所，担钱人必有姓名。已成契后，必即投印，虑有交易在后而投印在前者。已印契后，必即离业，虑有交易在后而管业在前者。已离业后，必即割税，虑因循不割税而为人告论以致拘没者。官中条令，惟交易一事最为详备，盖欲以杜争端也。而人户不悉，乃至违法交易，及不印契、不离业、不割税，以至重叠交易，词讼连年不决者，岂非人户自速其辜哉！

邻近田产宜增价买

凡邻近利害欲得之产，宜稍增其价，不可恃其有亲有邻，及以典至买，及无人敢买而扼损其价。万一他人买之，则悔且无及，而争讼由之以兴也。

违法田产不可置

凡田产有交关违条者，虽其价廉，不可与之交易。他时事发到官，则所费或十倍。然富人多要买此产，自谓将来拼钱与人打官司。此其癖不可救，然自遗患与患及子孙者甚多。

交易宜著法绝后患

凡交易必须项项合条，即无后患。不可凭恃人情契密不为之防，或有失欢则皆成争端。如交易取钱未尽及赎产不曾取契之类，宜即理会去著，或即闻官以绝将来词诉。切戒，切戒！

富家置产当存仁心

贫富无定势，田宅无定主。有钱则买，无钱则卖。

买产之家当知此理，不可苦害卖产之人。盖人之卖产，或以阙食，或以负债，或以疾病死亡，婚嫁争讼。已有百千之费则鬻百千之产。若买产之家即还其直，虽转手无留，且可以了其出产欲用之一事。而为富不仁之人，知其欲用之急，则阳距而险钩之，以重扼其价。既成契，则姑还其直之什一二，约以数日而尽偿。至数日而问焉，则辞以未办。又屡问之，或以数缗授之，或以米谷及他物高估而补偿之。出产之家必大窘乏。所得零微，随即耗散。向之所拟以办某事者，不复办矣。而往还取索夫力之费又居其中。彼富家方自窃喜，以为善谋。不知天道好还，有及其身而获报者，有不在其身而在其子孙者。富家多不之悟，岂不迷哉！

假贷取息贵得中

假贷钱谷，责令还息，正是贫富相资不可阙者。汉时有钱一千贯者，比千户侯，谓其一岁可得息钱二百千，比之今时未及二分。今若以中制论之，质库月息自二分至四分，贷钱月息自三分至五分。贷谷以一熟论，自三分至五分，取之亦不为虐，还者亦可无词。而典质之家至有月息什而取一者，江西有借钱约一年偿还而作合子立约者，谓借一贯文约还两贯文。衢之开化借一秤禾而取两秤。浙西上户借一石米而收一石八斗，皆不仁之甚。然父祖以是而取于人，子孙亦复以是而偿于人，所谓天道好还，于此可见。

兼并用术非悠久计

兼并之家见有产之家子弟昏愚不肖，及有缓急，多是将钱强以借与。或始借之时设酒食以媚悦其意，或既借之后历数年不索取。待其息多，又设酒食招诱，使之结转并息为本，别更生息，又诱勒其将田产折还。法禁虽严，多是幸免，惟天网不漏。谚云“富儿更替做”，盖谓迭相酬报也。

钱谷不可多借人

有轻于举债者，不可借与，必是无籍之人，已怀负赖之意。凡借人钱谷，少则易偿，多则易负。故借谷至百石，借钱至百贯，虽力可还，亦不肯还，宁以所还之资为争讼之费者多矣。

债不可轻举

凡人之敢于举债者，必谓他日之宽余可以偿也。不知今日之无宽余，他日何为而有宽余？譬如百里之路，分为两日行，则两日皆办；若欲以今日之路使明日并行，虽劳苦而不可至。凡无远识之人，求目前宽余而那积在后者，无不破家也。切宜鉴此！

税赋宜预办

凡有家产，必有税赋，须是先截留输纳之资，却将赢余分给日用，岁入或薄，只得省用，不可侵支输纳之资，临时为官中所迫，则举债认息，或托揽户兑纳而高价算还，是皆可以耗家。大抵曰贫曰俭自是贤德，又是美称，切不可以此为愧。若能知此，则无破家之患矣。

赋税早纳为上

纳税虽有省限，须先纳为安。如纳苗米，若不趁晴早纳，必欲拖后，或值雨雪连日，将如之何？然州郡多有不体量民事，如纳秋米，初时既要干圆，加量又重。后来纵纳湿恶，加量又轻，又后来则折为低价。如纳税绢，初时必欲至厚实者，后来见纳数之少，则放行轻疏，又后来则折为低价。人户及揽子多是较量前后轻重，不肯搀先送纳，致被县道追扰。惟乡曲贤者自求省事，不以毫末之较遂愆期也。

造桥修路宜助财力

乡人有纠率钱物以造桥修路及打造渡航者，宜随力助之，不可谓舍财不见获福而不为。且如道路既成，吾之晨出暮归，仆马无疏虞，及乘舆马，过桥渡，而不至惴惴者，皆所获之福也。

营运先存心近厚

人之经营财利，偶获厚息，以致富盛者，必其命运亨通，造物者阴赐致此。其间有见他人获息之多，致富之速，则欲以人事强夺天理。如贩米而加以水，卖盐而杂以灰，卖漆而和以油，卖药而易以他物。如此等类不胜其多。目下多得赢余，其心便自欣然，而不知造物者随即以他事取去，终于贫乏。况又因假坏真以亏本者多矣，所谓人不胜天。大抵转贩经营，须是先存心地，凡物货必真，又须敬惜。如欲以此奉神明，又须不敢贪求厚利，任天理如何，虽目下所得之薄，必无后患。至于买扑坊场之人尤当如此，造酒必极醇厚清洁，则私酤之家自然难售。其间或有私酝，必审止绝之术，不可挟此打破人家朝夕存念，止欲趁办官课，养育孥累，不可妄求厚积及计会司案，拖赖官钱。若命运亨通则自能富厚，不然亦不致破荡。请以应开坊之人观之。

起造宜以渐经营

起造屋宇，最人家至难事。年齿长壮，世事谙历，于起造一事犹多不悉，况未更事？其不因此破家者几希。盖起造之时，必先与匠者谋。匠者唯恐主人惮费而不为，则必小其规模，节其费用。主人以为力可以办，锐意为之。匠者则渐增广其规模，至数倍其费，而屋犹未及半。主人势不可中辍，则举债鬻产。匠者方喜兴作之未艾，工镪之益增。余尝劝人起造屋宇，须十数年经营，以渐为之，则屋成而家富自若。盖先议基址，或平高就下，或增卑为高，或筑墙穿池，逐年渐为之，期以十余年而后成。次议规模之高广，材木之若干，细至椽、桷、篱、壁、竹、木之属，必籍其数。逐年买取，随即斫削，期以十余年而毕备。次议瓦石之多少，皆预以余力，积渐而储之。虽就雇之费，亦不取办于仓卒，故屋成而家富自若也。